LE MÉDECIN MALGRÉ LUI

JEAN BAPTISTE POQUELIN DE MOLIERE

Tantôt Plaute, tantôt Terence,
Toujours Molière cependant,
Quel homme! avouons que la France
En perdit trois en le perdant.

MOLIÈRE

LE
MÉDECIN MALGRÉ LUI

Edited by
RONALD A. WILSON, M.A., Ph.D.
and R. P. L. LEDÉSERT
Licencié-ès-Lettres, Licencié en Droit

D. C. HEATH AND COMPANY
BOSTON

Offices: BOSTON   NEW YORK   CHICAGO
ATLANTA   DALLAS   SAN FRANCISCO   LONDON

INTRODUCTION

I. MOLIÈRE'S BACKGROUND

Although Molière's life embraces two reigns, he is essentially a writer of the age of Louis XIV—an age particularly favourable to the arts. Few eras in history have produced such a galaxy of writers and artists. To know Molière is to know his age : from a careful study of his work we may learn almost as much about his time as from the accounts of historians. His plays form a vast and varied canvas, depicting the Court, the *salons*, the doctors and lawyers, the *bourgeoisie*, the family life, etc., of the day. Molière is not only a great writer of comedy, but a keen and ironic observer of life in all its varying moods, of every type and condition of man.

Before we study Molière's life and work it will be profitable to survey briefly some of the salient historical and social aspects of the epoch to which he belongs. Indeed, French literature of the seventeenth century can scarcely be studied without reference to its historical and social background, so closely are they connected.

When the fanatic, François Ravaillac, assassinated Henry IV in 1610, France was plunged into a period of uncertainty bordering on chaos, after a time of what may be termed comparative prosperity. The Queen Regent, Marie de Médicis, manifested no particular strength, either of will or character, allowing herself to be unduly influenced by foreign minions, with the result that internal strife and turmoil were inevitable. It was the Florentine, Concino Concini, who gained the Queen's complete confidence, but he was shrewd enough to approach her through his wife, Léonora Galigaï, who exerted an almost

hypnotic influence over the Queen Regent. The corruption and rapacity of this pair encouraged the nobles
in making outrageous demands. Indeed, the weaker the
government became as a result of Concini's mismanage-
ment, the more the pretensions of the nobles increased.
Louis XIII, however, at the age of sixteen, formed a plot
with his own favourite, Albert de Luynes, to have Concini
killed. The Italian's murder, in 1617, was applauded by
the nobles, who now hoped for greater self-aggrandize-
ment, but de Luynes revealed himself to be as rapacious
an opportunist as Concini, and as ungifted a Minister.
Thanks to him, France was left in a condition of weakness
and disorder seldom paralleled in her history.

To Armand du Plessis, Cardinal de Richelieu, fell the
lot of restoring order in France, settling religious quarrels,
and quelling dissension between the nobles and the royal
power. Whatever one may think of the ruthless measures
taken by Richelieu, it must be acknowledged that he strove
indefatigably to restore France to her former greatness.
That he was a man of singular genius is indisputable. He
himself has left an interesting outline of his policy.
Addressing Louis XIII, he declared :

When your Majesty decided to accord me at once a place
in your council and a great share of your confidence, I
may say with truth that the Huguenots behaved as if they
were no longer subjects, and that the more powerful
governors of provinces acted as though they were
sovereigns in the districts, the control of which had been
entrusted to them. I may add that our foreign relations
rested on a false basis. I promised your Majesty that
I should employ all my industry and all the authority
which it may please you to give me to effect the destruc-
tion of the Huguenot faction, to reduce the pride of the
nobles, and to raise the prestige of France among the
foreign nations to that point at which it ought to be.

Thanks to the amazing strength of his personality, he succeeded in establishing the Monarchy as a supreme power holding complete sway over the nobles, the clergy, and the political assemblies.   Even the influence of the so-called *Parlement*, which was little more than a court of justice, was reduced to a minimum.   One of his first master-strokes was the siege and capture of the Protestant stronghold, La Rochelle (1628), followed closely by the Peace of Alais (1629), which brought the religious war to an end.   Equally relentless in his foreign policy, Richelieu was instrumental in raising France to a position of importance among the nations.   It was in the midst of brilliant success that he died, in December 1642, at the age of fifty-seven.

Space does not permit of a study of how the Cardinal achieved his three main aims, which he pursued simultaneously, but it must be noted that, thanks to his intellect, skill, and iron will, he left France universally victorious : the rival house of Austria had been dealt a shattering blow, the four important provinces of Lorraine, Roussillon, Artois, and Alsace had been added to the realm, while Catalonia and Portugal had, with consummate statesmanship, been stirred up against another dangerous rival—Spain.

After Richelieu's death in 1642 Louis XIII did not change the great Cardinal's policy.   He survived him only six months, however.   Louis had arranged that, during the minority of the new king, affairs of State should be in the hands of a Council to be presided over by the Queen Mother, Anne of Austria.   By far the most noteworthy member of this Council of Regency was Mazarin, one of four nominees proposed by Richelieu.   Mazarin, who belonged to an old Sicilian family which had settled in Rome, had favourably impressed Richelieu in 1634, when sent as a papal nuncio to France.   The Queen, who was more than a little attracted by him, gave him complete control over the administration of the country. Although a friend and admirer of Richelieu, and imbued with the Cardinal's ideas, Mazarin was altogether a man of a much more ordinary calibre.

Not long after Mazarin's rise to power a number of overweening nobles, nicknamed the *Cabale des Importants*, clamouring to undo Richelieu's work, rushed to Court, hoping to gain new favours and privileges ; but a plot to murder Mazarin being discovered, they were quickly relegated to their estates, or, as in the case of the Duke of Beaufort, to prison. Anne and Mazarin soon found themselves faced by energetic resistance, not only on the part of the nobles, but also of *Parlement* and people. Reform of taxation was the main demand of the two latter, while the nobles sought to restore their former power, of which Richelieu had deprived them. On the death of Louis XIII France had been left in a state of acute financial embarrassment, which Mazarin's maladministration and personal greed considerably aggravated. Taxes were so great, and in most cases so unjust, that in 1646 there were no fewer than 23,000 persons in prison ; and it is chiefly this period of financial crisis which gave rise to the long and bitter struggles called the *Fronde*. It is impossible here to follow the development and phases of the *Fronde*. It must suffice to note that its repercussions were felt throughout the whole of France.

A reconciliation was effected between *parlement* and Court in 1648—the year of the Treaty of Westphalia and the close of the Thirty Years War. The nobles, however, continued their own self-interested struggle for power, but, in the end, thanks to Mazarin's diplomacy, the Court won the day. Nothing had been gained by the conflict. The people were more sorely oppressed than ever, the nobles found themselves more or less powerless, while the *parlement* was entirely deprived of its previous political significance.

Louis XIV's reign, like so many other long reigns, presents two clearly defined aspects : a period of brilliance and prosperity, and a period of decadence and misfortune. The most scintillating phase of his reign is that which extends from the death of Mazarin, in 1661, to the death of Colbert, in 1683. In every sphere great men distinguish this epoch of Louis' reign. In charge of internal administration there was the outstanding Minister, Colbert. War was in the hands of Turenne, Condé, Duquesne, and Louvois. In the realm of art Lebrun, Claude Lorrain, Poussin, Mansart, and Perrault are but a few distinguished names ; the literary world has an illustrious array to show —Molière, Boileau, Bossuet, Bourdaloue, La Fontaine, Madame de Sévigné, and Racine. From 1683, however, there is a perceptible waning of this glory until Louis' death in 1715.

In 1661, at the age of twenty-three, Louis assumed absolute rights in the government of the country. He it was who chose Ministers for the main offices of State. He it was who held the power to dismiss them, if such were his pleasure. Louis sincerely believed that he was the " earthly representative of God," and that his power here below should be supreme. Bossuet went so far as to establish his divine right from specially selected passages in the Bible. All the *parlements* were subjected to the king's will. In 1667 he issued an edict ordering the registration of all royal decrees within seven days. In the event of any resistance Louis attended the session himself, and saw to it that the edict was duly passed. The *parlement*, then, was little better than the king's mouthpiece. Of the so-called " three estates," the nobles and clergy were deprived of practically all political power. It was on the middle class that Louis bestowed certain privileges.

He found the members of this particular section of his subjects more amenable to his demands, better educated, and more loyal than the others. Moreover, being the descendants of a class long crushed beneath a feudal yoke, they did not, as yet, realize the iniquities of absolute monarchy. Knowing that he held them in the palm of his hand, Louis appointed them to the main administrative offices.

In the provinces there were *parlements* very similar in function to the Paris assembly, but their powers were even more restricted. In the sixteenth century governors had been appointed in the provinces, their duty being to represent the king loyally. These governors, who were members of the nobility, gradually assumed great personal power, rendering themselves practically independent in their provinces. They even regarded their positions as hereditary. Aware of the lengths to which they might go if unchecked, Richelieu had advised Louis XIII to appoint *intendants* to whom the governors would be answerable. These officials were thus placed in full charge of justice, police, and finance, and it was their duty to supervise the nobles and the local *parlements*. In the end the governors became merely nominal representatives of their provinces. In the reign of Louis XIV the *intendants* represented the absolute power of the monarchy in a fashion previously unknown. Each presided over a *généralité*, and, in this way, the whole territory of the provinces was brought directly under the king's control.

The importance of the Court reached its zenith in the reign of Louis XIV. Under Louis XIII Versailles had been merely a royal hunting-box, but Louis XIV created on the estate a palace befitting a monarch who held absolute sway over his realm. His servants at Versailles numbered roughly four thousand. Of this multitude many were nobles of the highest rank and distinction, who were pleased to be lords of the bedchamber, grooms, and gentlemen of the king. The most trivial of the king's activities was accompanied by what now seems unbelievably elaborate ceremony. Courtiers removed their hats when crossing his empty room, and bowed deeply before the cupboard containing his linen, as if before an altar.

Let us consider briefly some of the aspects of the ceremony attached to Louis' daily life. He got up at eight o'clock, whereupon courtiers appeared in his room in groups of descending importance. This ceremonial was called *les entrées*. For the *lever*, or rising, there were six *entrées*, at the end of which about a hundred courtiers stood in the royal bedchamber. Only nobles of the highest rank were privileged to be present when the king left his bed (*petit lever*) and put on his dressing-gown. Those of the least exalted rank arrived only when he had washed and finished dressing. It would seem that the monarch's morning ablutions were of a most perfunctory nature—he merely rubbed his hands on a towel saturated with toilet spirits. (It is interesting to note that Louis XIV is said to have taken but one hot bath in his life, and that only on his doctor's orders.) With regard to his dressing, it was likewise the occasion for much formal ceremony, his shirt, for example, being presented to him in a covering of white silk by a prince of the blood. There was a definite ruling as to who should hold each arm of the garment. And thus various ceremonies accompanying the king's activities proceeded throughout the day. Whether he dined, walked, or hunted, an elaborate ritual was considered to be essential. At the end of the day his bed-going was accompanied by as much complicated ceremony as the *lever*. Only the very highest nobles were permitted to witness the last stages of the *coucher*, as the procedure was called. Louis was thus considered something of a deity, his satellites scarcely daring to believe him subject to the same natural laws as the rest of mankind.

That Molière held, on the whole, an unfavourable opinion of many courtiers of his time is obvious from the pungent and witty pen-portraits which he gives of them in his plays.   We shall see later that access to the Court permitted him to come into contact with personages who find most lifelike counterparts in his comedies.   Careful study of *Le Misanthrope*, for example, reveals that Alceste may be identified with Molière, who was enabled to pronounce judgment in his play on noble personages whose conduct and opinions he had studied closely in real life. Reproaching the fickle Célimène with her attachment to a foppish *petit marquis*, Clitandre (Act II, Scene 1), he gives an admirable portrait of what appears to have been a type frequently encountered at Court.   Sarcastically he speaks of " l'ongle long qu'il porte au petit doigt . . . sa perruque blonde . . . ses grands canons . . . l'amas de ses rubans . . . sa vaste rhingrave . . . sa façon de rire et son ton de fausset," and he chides Célimène for being attracted by such meaningless outward trappings.   Acaste, another fatuous *marquis*, the bosom companion of Clitandre, shows himself to be an effeminate, conceited creature whose main concern would seem to be his appearance :

> Je suis assez adroit ; j'ai bon air, bonne mine,
> Les dents belles surtout, et la taille fort fine.
>
> (Act III, Scene 1)

Act II, Scene 4, of *Le Misanthrope* is of some importance in a study of Molière's attitude to certain nobles. The reception at Célimène's is almost the seventeenth-century equivalent of a modern afternoon party in high society.   The unpleasant and trivial gossip reveals a lack of sincerity which Molière later describes as *une vertu*

rare au siècle d'aujourd'hui. To judge by the uncompli-
mentary accounts which these high-born people give of
their friends behind their backs, we are led to form the
conclusion that their circle was composed, for the most
part, of conceited bores and fools. Molière, in this
important scene, is able to express his own opinion of
types with whom he has come in contact. He speaks of
the nobleman who, in his own words, " trouve toujours
l'art de ne vous rien dire avec de grands discours," of
Géralde who speaks of no one but dukes, princes, and
princesses ("le nom de monsieur est chez lui hors d'usage"),
of Bélise, whose conversation consists only of common-
places, of Cléon, who is popular merely because he has a
good cook and entertains well. Clitandre and Acaste
appear to have little more to do than to while away their
time listening to trivial gossip. To be back at Court in
time for the *petit coucher* is their only important responsibility.

The historian Duruy goes so far as to state that Louis
XIV, mindful of past troubles with the nobles, deliberately
" attempted to encourage in them a taste for frivolity,
which, in most instances, became a taste for disreputable
pleasures. . . . They were compelled to spend in idleness
or in debauchery the talents from which the country might
have profited." While there is certainly much truth in
Duruy's statement, it would be erroneous to conclude that
there were no serious-minded nobles at Court. Even the
Acastes and the Clitandres prided themselves on being
conversant with the latest books and plays, while the Court
was graced by some eminent men and women of letters
endowed with considerable literary talent.

In Molière's day the Court played an influential role in
the world of art and letters. The success of any writer
might well depend on the favour of the King and his circle.
As we shall later see, Molière was destined to be particularly

tavoured by Louis XIV and his *entourage*. Molière's father was, for many years, in the king's service as *valet de chambre tapissier du roi*, one of whose duties was to assist in the making of the royal bed, and Molière himself is said to have served at one time in a similar capacity.

Whatever may have been the political and social iniquities of the reign of Louis XIV, there is no doubt that he revealed himself as a beneficent influence in the literary world. Particularly from 1660 onward did he bestow special favours on writers and artists. He took directly under his protection those writers who, up till then, had been patronized by individual noblemen. In 1663 he drew up a *feuille des pensions*, on which the names of all the greater writers of the day were to be found. Under his patronage various academies were founded—*L'Académie des inscriptions* in 1663, *L'Académie des sciences* in 1666, while *L'Académie de sculpture et de peinture* was reorganized in 1664. Louis XIV manifested personal interest in these and other institutions, thereby elevating men of art, science, and letters to a position of importance and dignity which they had never previously occupied, unless they were of noble birth.

Louis XIV invited to his court the great writers and artists of the day, treating them as the equals of the noblemen who surrounded him. There is no doubt that he respected deeply artistic and intellectual prowess. To those possessed of such talent he was by no means an arrogant sovereign. Indeed, as in the case of Molière, he protected them against the criticism and jealousy of his own courtiers. It is noteworthy that Louis was seldom mistaken in those whom he selected for special favour or distinction. He chose Bossuet as his son's tutor, and Fénelon as his grandson's. Bossuet was also entrusted with the composition of the official funeral orations (*oraisons funèbres*). It is significant to record that when

Boileau informed the King that, of all the poets of the time,
Molière was undoubtedly the greatest, the monarch is said
to have replied " Je ne le croyais pas ; *mais vous vous y
connaissez mieux que moi*." Such a remark speaks eloquently for his profound respect for great men of letters.

Second only to the influence of the King in literary
affairs was that of the *salons*. Of these, by far the most
famous and influential was the so-called *hôtel de Rambouillet*,
founded by Catherine de Vivonne, daughter of a French
ambassador at Rome, and wife of the Marquis de Rambouillet. From 1608 to 1660 the *marquise* received in her
celebrated *salon* the most distinguished members of society
and the greatest writers of the time. Refinement in
manners and purity of language appear to have been the
chief aims of the *salon*—dangerous aims, since they were
later to degenerate into the exaggerated affectation or
préciosité so often ridiculed by Molière.

Madame de Rambouillet's *salon* was the ideal meeting-
place for men and women of letters who wished to discuss
new poems and plays or hear first readings of new literary
productions. The activities of the *hôtel de Rambouillet*
have been conveniently divided into three periods. The
first, from its inception in 1608 to 1630, one may term a
brilliant period of preparation. Among the principal
guests at this time were Richelieu, still Bishop of Luçon,
the Cardinal de la Valette, and the Princesse de Mont-
morency. Madame de Rambouillet's eldest daughter,
Julie d'Angennes, assisted her mother in entertaining the
visitors to the *chambre bleue*, where the receptions were
held. Some men of letters, frequently protégés of noblemen, or themselves of noble birth, were admitted to the
salon. Of these Malherbe, Conrart, Vaugelas, and
Voiture are noteworthy. Des Granges has shown how
three distinct literary influences sought, during this first
period, to secure pride of place in the *hôtel*—that of

Malherbe, of Honoré d'Urfé, and of the Cavalier Marin; that is, respectively: sincerity and purity of style and language, freed from all foreign influence, especially that of the ancients; the double influence of the Spanish and the Italian *roman pastoral*, of which d'Urfé's *L'Astrée* is the most important French contribution; finally, the excessively refined and precious *italianisme* of Marini's pastorals.

From 1630 till about 1645 Madame de Rambouillet's *salon* entered a new and brilliant phase of development. During this period the most important guests were La Rochefoucauld, the Duc de Montausier, who was later to marry Julie d'Angennes, Mlle de Bourbon (the future duchesse de Longueville), and the romantic novelist Mlle de Scudéry, who later founded a *salon* of her own. Writers were much more numerous than during the earlier years. Georges de Scudéry, Rotrou, and Scarron were among their number. Corneille visited the *salon*, where he read his *Polyeucte* to the guests. It was there that the young Bossuet preached one of his first sermons. Not all the activities of the *salon* were serious, however. Country excursions and picnics, masked balls, impromptu entertainments, and other *divertissements* were indulged in, especially by the younger members. It was in 1641 that the duc de Montausier presented Julie with the famous collection of madrigals named *La Guirlande de Julie*, each of which, accompanied by a flower design, represented one of his beloved's virtues.

Julie's marriage in 1645, the death of the marquis de Rambouillet in 1653, and the general uneasiness caused by the *Fronde*, were among the main causes of the decline of the *hôtel de Rambouillet*. Indeed, Arthénice (an anagram of Catherine invented by Malherbe), as her friends called the *marquise*, died in seclusion in 1665. During this latter period some truly brilliant women had frequented the *salon*, among them the talented Madame de Sévigné and Madame de La Fayette, both of them women of extreme intelligence and sensibility. Along with them should be mentioned Henriette d'Angleterre (duchesse d'Orléans) and Madame de Caylus. But, while the previous generation had interested themselves primarily in polemical topics, such as the political and theological questions discussed in the *salon*, these new recruits indulged to a greater extent in subjects more essentially feminine, writing in a delightful, intimate fashion and showing in their conversation that *esprit* which is always associated with their names.

In all, the *hôtel de Rambouillet* was a most valuable institution for the fostering of literary taste and appreciation along with the other graces essential to people of quality. It is not surprising, then, that the *marquise* was copied by others who sought to set the tone in the literary and social world. Unfortunately, under less judicious guidance than that of Madame de Rambouillet, the *salon* was to become preoccupied with much that was superficial and trivial. While, with regard to language, the aim of the *hôtel de Rambouillet* was the intelligent and justifiable one of " tout dire sans brutalité comme sans obscurité," it seems that the rival *salons* in Paris, and particularly those in the provinces, spent much of their time inventing absurd circumlocutions for everyday objects. Somaize's *Grand Dictionnaire des précieuses* (1660–61) gives many amusing examples of the length to which the *précieuses* went in their affectation : teeth, for example, were no longer referred to as *les dents*, but as *l'ameublement de la bouche,* while a candle was honoured by the epithet *le supplément du soleil.* It is little wonder that Molière, always an ironic observer of human foibles, wrote his *Précieuses ridicules* (1659), in which he ridiculed the *habituées* of the more superficial *salons.* Molière had closely observed some particularly affected

précieuses de campagne during his travels with his theatrical
company, and it is they who provided him, in large
measure, with material for his play. It is interesting to
note that Madame de Rambouillet applauded the play
cordially, realizing, of course, that Molière wished to
reprove those who aped the really valuable *salons* such as
her own, and who misrepresented their aims and teachings.

It must not be thought that literary activity and the
appreciation of literature were the sole prerogative of court
and society circles. The part played by the *bourgeoisie*
should not be forgotten. Education became more wide-
spread among the middle classes as the century pro-
gressed. While many of the nobles became impoverished
in the service of the King, members of the *bourgeoisie*
amassed considerable fortunes, which enabled them to
provide their sons with the very best of school and
university education. Whether as business men, magis-
trates, or men of letters, these citizens formed an important
part of the French reading and theatre-going public.
Authors bore their tastes in mind when writing books or
plays, knowing that they were often more learned and
critical than the readers and spectators of nobler birth.

Himself of the bourgeois class, Molière is on his own
ground when depicting the typical family life of his age
and holding up to ridicule many of the types with which
he came into contact—the social climber, the miser, the
hypochondriac, etc. In this province he is a past master.
To know plays such as *L'Avare*, *Le Malade imaginaire*, and
Le Bourgeois gentilhomme is to know much about life in
Molière's own time. *L'Avare*, for example, provides us
with some interesting sidelights on bourgeois family life
in the seventeenth century. The miser, Harpagon,
belongs to the richer *bourgeoisie*, which, aping the nobles,
deemed it essential to employ the services of cooks,
coachmen, stewards, and other *valets*. The bourgeois,

copying the nobles, lived in a house with an interior court and garden, and such is the setting of *L'Avare*. We can see also, from this play, how great was the authority of a father over his sons and daughters. If the State suffered from centralized administration, so did the family. With regard to marriage, the father had almost complete control over his children's destinies, enjoying the power to force a union likely to prove to material and financial advantage, irrespective of the wishes of his offspring. A daughter who opposed her father's will concerning matrimony almost invariably ended her days in a convent, while a son guilty of similar independence was liable to imprisonment or corporal punishment. The *dot* was all-powerful, personal affection being of secondary importance.

Of the professional classes with whom he was familiar, it is the medical profession, above all, that Molière chooses to ridicule and castigate in his plays. What infuriates Molière more than anything else is the charlatanism, combined with the pomposity, pedantry, and ignorance of the average medical man of the time. It is in *Le Malade imaginaire* (1673) that Molière most eloquently satirizes the medical profession, but *Le Médecin malgré lui* (1666) and *L'Amour médecin* (1665) likewise provide him with excellent opportunities of lashing out at the medical quacks and charlatans who had failed to cure his own illnesses. In his day doctors, for the most part, were a prey to every manner of superstition, while medical science seems to have developed but little since medieval times. Lectures on medicine were still delivered in Latin, while practical anatomy was almost non-existent. Most ailments were treated in the same way, namely by the purging, blood-letting, etc., which afforded Molière material for many farcical scenes. It must be stated, however, in all fairness, that medical science made considerable progress during the last years of the century.

In pouring out his scorn on the medical profession Molière is faithful to the tradition of medieval satirical writers and Italian farce. But behind his ridicule of the doctors' absurd costume, their playing on the credulity of their patients, and their blind mistrust of new ideas, there is an important philosophical idea, namely, the belief that the work of nature, essentially beneficent and good, is frustrated by the practice of medicine. Béralde's speech in *Le Malade imaginaire* (Act III, Scene 3) fittingly sums up Molière's own convictions : " La nature, d'elle-même, quand nous la laissons faire, se tire doucement du désordre où elle est tombée. C'est notre inquiétude, c'est notre impatience qui gâte tout, et presque tous les hommes meurent de leurs remèdes, et non pas de leurs maladies."

Although it was not until 1778, long after his death, that *L'Académie française* honoured Molière, it should be noted that the Academy was founded during Molière's lifetime. It was, in many ways, simply an elevated type of *salon*, which found its origins in literary meetings at the house of a man of letters to whom we have already referred —Valentin Conrart. Cardinal Richelieu himself was largely responsible for its organization as an official body in 1634, while, in the following year, the king granted letters patent. The University protested against this new assembly of men of letters, whose competition it feared, but now the Academy was firmly established. The immediate work, stipulated by Richelieu, was to produce a dictionary, along with grammatical and other treatises, with a view to purifying and embellishing the French language. The dictionary was eventually completed in 1694, but the rest of this Herculean task has been only partially accomplished.

2. MOLIÈRE'S LIFE AND WORK

The above brief sketch of Molière's background may help to throw some light on the century in which he was born. Molière was not the dramatist's real name, but one which he assumed. His father was named Jean Poquelin, his mother Marie Cressé, and it was in January 1622 that Jean-Baptiste Poquelin was born in Paris. His father, who carried on a successful upholstery business at the Halles, was, in 1631, appointed *valet de chambre tapissier ordinaire du roi*. His mother he lost when only ten. It is fortunate that Molière was brought up in a typical Parisian bourgeois environment, for it afforded him much invaluable material for the plays which he was to write. It is unlikely that he enjoyed a very happy childhood, since he lost his mother at such an early age, while his father, according to some accounts, was vain and avaricious. It has been suggested that we may attribute to this Molière's portrayal, in certain plays, of proud, unloving mothers, while some critics have found an echo of his father in Harpagon and M. Jourdain. Nevertheless, his father provided him with an excellent education at the Jesuit *Collège de Clermont*, where, it is said, he met the prince de Conti, who later became his patron. The fact that the sons of nobles and of tradesmen attended the same college points to the liberal nature of the institution. It is thought that the instruction given him at the *Collège* by the epicurean philosopher Gassendi left a very deep impression on the mind of the boy.

It was the desire of Molière's father that his son should study law on concluding his course at the *Collège de Clermont*. The facts regarding Jean-Baptiste's legal studies are somewhat obscure. He may have pursued them at Orléans, but, as it was possible to have a degree conferred on payment of a certain sum, irrespective of the

candidate's merit, it has been suggested that Molière's
father procured a licentiate of law for him in this fashion.
It is clear, however, from some of his plays, that Molière
did possess detailed legal knowledge.

In this same year, 1642, it seems that Molière accompanied Louis XIII as *valet de chambre tapissier* to Narbonne
—his father would have liked him to follow him in his
profession, but Molière's heart was neither in upholstering
nor in pleading at the bar. For long he had been
fascinated by the stage. Early visits to the *hôtel de Bourgogne*, where, with his maternal grandfather, he had wit-
nessed stirring theatrical performances, had made a deep
impression on his mind. The theatre, then, was to be his
future career.

In 1643 he claimed an inheritance and along with a
certain Béjart family and some other friends founded
L'Illustre Théâtre. It was at this time that Jean-Baptiste
Poquelin assumed the stage-name of Molière. For two
years (1643-44) the troupe attempted to gain a public
but they seem to have been ill-fated from the very outset.
Paris, faithful to the *hôtel de Bourgogne* and the *Théâtre du
Marais*, had no time for any other theatrical venture.
And so August 1645 saw Molière imprisoned for debt in
the Châtelet. Hope was not dead, however, for, on his
release, he decided that fortune would smile on the
troupe if they made a tour of the provinces.

From 1645 to 1658 Molière and his company travelled
through the provinces of France. To begin with, they
joined forces with the troupe of Charles du Fresne, but
this collaboration was terminated about 1650. Careful
research has provided us with fairly reliable information
regarding Molière's travels with *L'Illustre Théâtre*. In
1647 the troupe played at Toulouse, Albi, and Carcassonne;
in 1648 at Nantes; in 1649 once more at Toulouse and
Narbonne; in 1650 at Agen and Pézenas. In 1652

Molière established his headquarters at Lyons, from where the company made several theatrical tours to Vienne, Dijon, Avignon, Grenoble, and Bordeaux. But Lyons was always the centre to which they returned. It should be recorded that such was the fame of *L'Illustre Théâtre*, that it was called upon to provide entertainment for the States of Languedoc (a sort of provincial parliamentary session). It was in 1653, during a season at Pézenas, that Molière came across his old school friend, the prince de Conti. Delighted with the troupe, the prince made them visit Montpellier in 1653, 1654, and 1655, and Pézenas once more in 1655 and 1657.

Information concerning the repertory of *L'Illustre Théâtre* is, unfortunately, scanty. It contained, no doubt, a large number of both serious and comic plays by the authors of the day. We do know that Molière presented Corneille's *Nicomède* at Bordeaux, while it is almost certain that the works of minor dramatists, such as Rotrou and Thomas Corneille, were included. Familiarity with the work of contemporary dramatists was bound to be of great importance in the development of Molière's own dramatic writing. Amongst his earliest works are farces such as *La Jalousie du Barbouillé* and *Le Médecin volant*, a genre in which he excelled, but it was not till 1655 that Molière presented, in Lyons, his first great comedy, *L'Étourdi*, to be followed in 1656 by *Le Dépit amoureux*. Both of these plays are inspired by the works of Italian writers.

One cannot stress too much the importance of these years spent in the provinces in the evolution of Molière's dramatic art. Here he had ever before his eyes a veritable kaleidoscope of types and manners which Paris alone could never have offered him. Indeed, without his experience in the provinces we should, no doubt, have lost many of his most brilliant studies.

Finally, in the year 1658, Molière decided to try his luck

in Paris once more, and, after a short season at Rouen, returned to the capital. With him he brought the two comedies we have mentioned, and a large number of farces which had charmed provincial audiences. It was on October 24, 1658, that the company first played before the Court at the Louvre. Such was the success of the entertainment that the king granted Molière permission to use the *Salle du Petit Bourbon*, while his brother bestowed his favour on him, allowing the company henceforth to be known as the *Troupe de Monsieur*. It was in the *Salle du Petit Bourbon* that Molière presented in November 1659 *Les Précieuses ridicules*. The following year the king's architect decided to demolish the *Petit Bourbon*, whereupon Molière feared that his wanderings might begin anew. Monsieur, however, allowed him to use the *Salle du Palais-Royal*, which Richelieu had had constructed, and it was there that Molière presented his great works till the end of his days.

Though at first suspended for a fortnight, *Les Précieuses ridicules* was a brilliant success. La Grange, who was secretary and treasurer to the company, has recorded its extraordinary popularity. We may state that the production of this play marks the beginning of Molière's career as a writer of comedy. No longer did he depend on traditional Italian farce for his inspiration. Instead, he had found it in a section of French society whose affectation and deplorable lack of taste cried aloud, in his opinion, to be satirized on the stage. It is said that a voice from the pit encouraged him with the words: " Courage, Molière, voilà la bonne comédie ! "

From now until the end of his life Molière gave to the world that galaxy of comedies and farces which have secured for him a place among the great dramatists of all time. In the year following the production of *Les Précieuses ridicules* Molière presented *Sganarelle*, in which he reverts to the stock-in-trade of traditional farce. His next play, *Don Garcie de Navarre, ou le Prince jaloux* (1661), in which jealousy is presented in a tragic light, he termed a " *comédie héroïque*," but it met with little success. *L'École des maris* (1661), on the other hand, was a great success, as was also *Les Fâcheux*, produced in the same year. The year 1662 marks the appearance of Molière's first *grand ouvrage*, *L'École des femmes*. It is impossible here to discuss the play in detail, but it is sufficient to say that the work gave rise to polemical discussions as important as those associated with *Le Cid* and *Andromaque*. *La Critique de l'École des femmes* (1663) and *L'Impromptu de Versailles* (1663) are short replies to his many bitter and, at times, jealous critics.

Certain critics have regretted the fact that Molière was obliged to expend so much of his time and genius on the writing of Court plays and ballets. Such *divertissements* include *Mélicerte*, *Les Amants magnifiques*, *Le Mariage forcé*, *La Princesse d'Élide*, and *Le Sicilien*. While it is to be deplored that Molière dissipated so much of his talent on the hasty production of minor comedies, ballets, and farces, it must not be forgotten that access to the Court allowed him to gain, at first hand, a wealth of material which he was able to use in his brilliant satires of the *petits marquis* as of the *grands seigneurs* of the time, nor should it be forgotten that it was under the King's protection that Molière was able to ridicule the nobility, their outward trappings and manners, and castigate their vices on the stage. His time, therefore, was not as ill-spent as many critics would have us believe.

In 1664 Molière did, however, present before the Court a play of a deeper nature than his *divertissements*. This was *Tartuffe*, which depicts a vice as heinous as Harpagon's avarice—religious hypocrisy cloaked in a mantle of piety. Public presentation was forbidden until August 5, 1667, but on the following day the play was suppressed by parliamentary action. It was not until 1669 that *Tartuffe* was permitted on the Paris stage, and even then only in a modified form. In 1665 appeared Molière's first five-act work in prose—*Don Juan*. This play, which belongs to the category of *comédie de mœurs et de caractères*, afforded Molière the opportunity of chastising moral depravity, hypocrisy, and other vices. As with *Tartuffe*, Molière's enemies were scandalized by many scenes in *Don Juan*, and the author was, once more, obliged to make certain alterations.

It may be that Molière felt that his attempts at incorporating profoundly polemical subjects in his comedies had borne but little fruit, for henceforth, while not abandoning his pungent satire and criticism, he restricted his attacks to subjects less dangerous than religion and morals.

L'Amour médecin, produced in 1665, is one of the first plays in which Molière pours his scorn on the doctors of his time. It is an elaboration of his early farce *Le Médecin volant*, which, as we have seen, he composed during his tour of the provinces. In *Le Médecin malgré lui*, produced in the following year, Molière once more ridiculed the medical profession. The same year saw the curtain rise on *Le Misanthrope*, which Faguet, in his critical study *En lisant Molière*, has called " le chef-d'œuvre de la délicatesse, de la finesse, de l'esprit . . . et en même temps de la psychologie juste et profonde." 1668 marks the appearance of three more plays : *Amphitryon*, an adaptation of a comedy by Plautus, *George Dandin*, a farce, and the masterpiece *L'Avare*, which, like *Le Misanthrope*, allowed Molière to expose another of mankind's moral sores—avarice. In *Monsieur de Pourceaugnac* (1669) Molière's reminiscences of provincial French life are more vivid and satirical than in any other of the plays. The provincials are likewise ridiculed in *La Comtesse d'Escarbagnas*, which did not appear

until later (1672). More important than either of these is
Le Bourgeois gentilhomme (1670), in which Molière takes to
task another type representative of a section of society—
the snobbish bourgeois. In the following year *Psyché*,
tragédie-ballet, was produced in collaboration with Corneille,
Lulli, and Quinault, while in *Les Fourberies de Scapin*
Molière reverts to early farce. In 1672 Molière was able
to make a final pronouncement on the pedants whom he
had early satirized in *Les Précieuses ridicules* : *Les Femmes
savantes* is nowadays considered to be one of his great
masterpieces. And in 1673 Molière rounded off his cycle
of satirical comedies with *Le Malade imaginaire*, which
allowed him to make a final thrust at the medical profession.
It was while playing the part of Argan in this play, on
February 17, 1673, that Molière was taken ill. He had
never been of robust health, and had overtaxed his strength
with the combined responsibilities of author, actor, and
manager. He was taken to his home in the *rue de Richelieu*,
where he died shortly after the performance. In Molière's
time actors could not be buried in consecrated ground, and
he was no exception. It was only after imploring the
king himself that his widow was able to have him buried
by night in a Christian grave.

Molière's life had been one of incessant activity. As
manager of *L'Illustre Théâtre*, writer, and actor, he seldom
had a moment's respite. During his period of greatest
activity (1658-73) he wrote no less than twenty plays.
There is no doubt that he amassed a considerable fortune
and was able to enjoy many comforts ; he had much to
make him happy, but he was inclined to be morose :
" il fit rire, mais il ne riait pas." This pessimistic strain
in his character was caused no doubt by ill-health. Yet he
was a kind, generous, and lovable man, always ready to be
of service to his friends. When advised not to appear at
that ill-fated performance of *Le Malade imaginaire* his one

thought was for those who would be unemployed if he failed to act.

3. (A).—Comedy before Molière

In view of Molière's debt to his predecessors, it will be necessary, before we examine his own art, to consider briefly the general features of comedy before his time. The study of medieval and renaissance drama is too vast a canvas to permit here of anything but cursory treatment. A review of the main features of comedy during these periods will, however, enable us to assess to what degree Molière is indebted to those who went before him. If we study the dramas of the twelfth and thirteenth centuries in France we are most forcibly struck by the strange mixture of serious and comic elements in the plays : for example, in Jean Bodel's drama *Le Jeu de Saint-Nicolas* (probably beginning of thirteenth century), we find, side by side with lofty themes of deep religious significance, comic interludes depicting, somewhat irrelevantly, the contemporary life of the time. It may be safely stated that these comic interludes contain the germ of comedy as Molière was to conceive it many decades later.

Adam de la Halle is an important name in a study of French comedy before Molière, or, indeed, in a survey of the development of the *genre* up to modern times. Before Adam de la Halle, who, like Jean Bodel, belonged to Arras, no comedy, pure and simple, had existed. As we have indicated, religious plays contained comic scenes for the amusement of the spectators, but it is the *Jeu de la Feuillée* (probably *circa* 1262) which has the distinction of inaugurating the *genre* of comedy proper. The fact that the play is entirely comic and secular is of considerable importance in our study of landmarks in the evolution of French comedy. The construction of the comedy is clumsy, while its action is impeded by the introduction of purely fictitious characters who have no connexion with the other players.   The *Jeu Adam*, as the play is also called, since it contains so much of the author's family history, has been described as " un assez singulier mélange de comédie satirique, aux vives personnalités—et de féerie."   A reference to an *avare* is worth recording, since it points to many subsequent portraits of misers in French comedy. Adam, having asked for money with which to go and study in Paris, is refused all financial assistance by his father, who declares himself to be very ill.   The doctor comments : " C'est d'un mal que je connais bien ; on le nomme avarice."

The fourteenth century runs its course without the appearance of any French comedy.   Nevertheless, the miracle plays of this time, though of an essentially religious character, could not dispense with the comic element.   In the midst of serious scenes from the Old and New Testaments a comic interlude, frequently improvised, was introduced, especially if the audience showed signs of boredom or any perceptible lack of interest.   It must be admitted that the farcical elements were often more popular than the main religious theme, and it is not surprising, then, to find the farce proper assuming a separate existence and even super-seding the miracle plays, which were eventually forbidden by law in 1548.   In these early farces we may discover much that will find an echo in Molière's comedies.   They were intensely amusing, almost invariably vulgar, and generally naive.   It is interesting to note, especially as we wish to establish some bond between them and Molière's comedies, that they often contained satirical references to the clergy, the militia, the law, etc., of the time.   It was in much the same way that Molière was to satirize con-temporary life and customs on the stage.

Another type of play worthy of mention here is the *sotie*,

which, although a morality play, contained certain comic elements. The *sotie* was a popular medium for pungent caricature of contemporary events and institutions. Only when references became too obvious or likely to arouse feelings of discontent were representations forbidden by law. Louis XII showed himself to be an indulgent patron of the *sotie*, and it was during his reign that this *genre* enjoyed its greatest success and popularity. Francis I, on the other hand, would tolerate no political references and stipulated that the *sotie* be restricted to satirizing aspects of contemporary life of a purely general nature.

The *sotie* was performed by the *Enfants-sans-souci* or *sots*, whose leader was the so-called *Prince des Sots*. The performers, who were probably impecunious students or care-free strolling players, were dressed in jesters' costumes of green and yellow. Perhaps the most famous *sotie* on record is Gringoire's *Le Jeu du prince des sots* (1512), which is full of references to the quarrels of Louis XII and Pope Julius II.

In the fifteenth century we also note the important development of the farce, which, as we saw, had begun to seek a separate existence from the miracle plays in the previous century. The farce came much nearer to the *véritable comédie* than either the miracle play or the *sotie*, since it contained far fewer allegorical characters and political allusions than these *genres*. It was, on a small scale and within its limits, the true comedy of intrigue and manners (*comédie d'intrigue et de mœurs*). Even though its plot and setting may be based on traditional tales and folklore, shrewd observation of types and customs gives it a new lease of life. The most famous farce of the fifteenth century is *Pathelin* (1470), the author of which is unknown. Whoever may have written it, one fact is clear—the author of this, the first comic masterpiece in French literature, was a real artist. The construction is masterly ; the exposition is clear and concise, the various incidents are well-knit and follow one another in logical sequence, while the *dénouement* is carefully worked out. The characters of merchant, lawyer, shepherd, and judge are true to life, each speaking a tongue befitting his state. The judgment scene, in which they are all assembled, has been called " un chef-d'œuvre de justesse et de variété." With regard to language and style, the author, whether he be the celebrated Villon or some less illustrious writer, has succeeded in writing French at once so natural and spontaneous that critics have declared that nothing more precise or unaffected exists in comedy before Molière.

With the Renaissance we note distinct developments in comedy. While in essence it remains a combination of fifteenth-century farce and the morality play, it gains in polish and depth by virtue of the influence of Plautus, Terence, and Aristophanes, whose works make a particular appeal to the writers of the time. Ronsard, A. de Baïf, and others translated various works of these great writers of antiquity.

The influence of Italian comedy was, however, by far the most important for sixteenth-century writers in France. It was felicitous in that it taught French writers of comedy to vary their situations and plots, but less happy in that it introduced a plethora of conventional stock characters such as old men (frequently misers), tutors, valets, rather colourless lovers, etc., whose speech and behaviour were stereotyped to a degree.

Jodelle's comedy in verse, *Eugène* (1552), which was considered as something of an innovation, is an amusing satire on the contemporary clergy. Remy Belleau's *La Reconnue* and Jacques Grévin's *La Trésorière* (1558), both comedies in verse, also enjoyed a certain popularity, but Pierre de Larivey's comedies in prose are by far the most important contributions to sixteenth-century comedy.

Larivey (1540–1611), who was of Italian parentage, became a canon of the church of Saint-Étienne at Troyes. Coming from a family of printers in Venice, he had a detailed knowledge of Italian comedy, and his plays are either imitations or translations of Italian writers. His procedure was to follow his Italian model fairly closely, but to make such modifications in setting and speech as were necessary in order to make his plays truly French. In this way he grafted what was best in Italian comedy on to contemporary French comedy without spoiling the essential merits of either. Of his comedies, *Les Esprits* (1579) is perhaps the best known. The play is an adaptation of Lorenzino de Medici's *L'Aridosio*, while Terence and Plautus also supply the author with important material. In *Les Esprits*, as in Larivey's other comedies, there is but little attempt at character delineation. His works are comedies of intrigue in which the development of the plot is the author's main preoccupation. It is important to note that Larivey is one of Molière's most important precursors, and that *Les Esprits* was one of the principal sources for *L'Avare*.

Towards the end of the century comedy in verse reappears without contributing anything noteworthy. Minor authors become more and more Italian in the worst sense, flooding the stage with time-worn situations and stock characters. Indeed, it is not till Corneille presents his first play *Mélite*, in 1629, that true comedy reappears. At the time of its appearance comedy was, for the most part, mere buffoonery and ribaldry. In his *examen* of the play Corneille himself speaks of the reasons for its success: " La nouveauté de ce genre de comédie . . . et le style naïf qui faisait une peinture de la conversation des honnêtes gens furent sans doute la cause de ce bonheur surprenant." So great is Corneille's renown as a writer of tragedy, that it is frequently forgotten that he made his literary *début* as a writer of comedy.   His *Le Menteur* (1643) is one of the principal comedy classics of French literature.   It has been said—with what accuracy we cannot state—that Molière declared: " Sans *Le Menteur*, j'aurais sans doute fait quelques pièces d'intrigue, mais peut-être n'aurais jamais fait *Le Misanthrope*."   Be this as it may—possibly the statement is an invention of Corneille's admirers—it is significant that, between the appearance of *Le Menteur* and Molière's first plays, there is little worthy of note in the field of French comedy.   One may then conclude that Corneille is a true forerunner of Molière.

There are, of course, isolated examples of comedy before and after *Le Menteur* which show sufficient merit to be mentioned briefly here.   Desmarets de Saint-Sorlin (1595–1676) is noteworthy, especially as his satirical comedy *Les Visionnaires* (1637) provided Molière with certain traits of character for Bélise in *Les Femmes savantes*. Boisrobert (1592–1662) deserves mention on account of *La Belle Plaideuse* (1654), in which one finds shrewd observation of contemporary society—a pleasant change from the extravagant situations borrowed from Spanish and Italian plays which figured so largely in the comedy of the time. It should be noted that Molière is indebted to Boisrobert for certain scenes in *L'Avare*.   Cyrano de Bergerac (1619–55) must also be mentioned, *en passant*, since his *Pédant joué* (1654) provided Molière with the famous *scène de la galère* in *Les Fourberies de Scapin*.   Of greater note is Quinault (1635–88), whose charming comedy in verse, *La Mère coquette* (1665), was long a favourite with French audiences.   This play contains certain scenes which, most likely, furnished Molière with material for *L'Avare*.   In conclusion, reference should be made to Scarron (1610–60), who occupies a place apart in the history of seventeenth-century French comedy.   He is best known for his burlesque comedies, *Jodelet* (1645) and *Don Japhet d'Arménie* (1653), but he also devoted himself to other literary *genres*. The keynote of all his writing is its burlesque character, which sacrifices verisimilitude to the wildest extravagance of situation and characterization. The raciness, frivolity, and fantasy of his plays assured them of considerable success, and they occupied, accordingly, an important place in the French theatrical repertoire of the seventeenth century.

3. (B).—THE ART OF MOLIÈRE

Our brief sketch of comedy before Molière will help us to make some assessment of the extent of Molière's debt to his predecessors. Even as far back as the fourteenth century we note types in the farces of the time which are strangely reminiscent of some of Molière's characters; in the *sotie* we meet satire which can well be compared with Molière's; and, later, Italian comedy reveals how much he was indebted to this *genre* for his plots and general use of action and intrigue. In his essay on the progress of French comedy, Professor Saintsbury has made some interesting remarks on Molière's debt to, and connexion with, his predecessors. Rather than emphasize Molière's actual indebtedness, however, the writer has pointed out that a likeness is sure to exist " whenever men of any age or country allow themselves to be guided by nature." Comedy of all nations and languages is after all very much the same, he declares. A comparison of great tragedies of different ages such as *Prometheus*, *Othello*, *Cinna*, and *Octavia* reveals differences before all else, but " what principally strikes him [the reader] in reading *The Birds*, *As You Like It*, *Les Précieuses ridicules*, the *Mostellaria*, are resemblances. Here, at least, there is some proof that man is really, and not merely in scholastic imagination, a ' laughing animal.' "

It is, of course, obvious, as we have indicated, that Molière owes much to his forerunners with regard to dramatic structure and general types. Yet any debt must seem small in comparison with all he did for French comedy. One critic, commenting on Molière's originality, has written : " The parts may belong to others, but the whole is his own." Let us turn, then, to this " whole " and note wherein lies the true greatness of Molière's art.

Molière is much more than a writer of comedy : he is, in addition, a philosopher and moralist, a keen observer of human foibles, a merciless critic of men. And yet his avowed aim in comedy was simply to please—to please both court and pit. In his *Critique de l'École des femmes*, Molière writes on the subject : " Je voudrais bien savoir si la grande règle de toutes les règles n'est pas de plaire, et si une pièce de théâtre qui a attrapé son but n'a pas suivi un bon chemin," and again, " Je dis bien que le grand art est de plaire." But how was such an aim to be achieved ? How was he to reconcile the taste of Versailles with that of the *Halles* ? He tells us himself—once more in the *Critique de l'École des femmes* : " . . . lorsque vous peignez les hommes, il faut *peindre d'après nature*. On veut que ces portraits ressemblent, et vous n'avez rien fait si vous n'y faites reconnaître les gens de votre siècle . . . c'est une étrange entreprise que celle de faire rire les honnêtes gens." It is in this fidelity to nature that Professor Saintsbury sees the keynote of Molière's greatness. In his excellent essay, from which we have already quoted, he has written : " . . . it was in teaching his brethren, the French comedy dramatists, to give themselves up to the guidance of nature more thoroughly than they had dared to do, and in raising the drama from the position of copying mere humours and stock subjects, that Molière achieved his greatest success."

Since Molière " paints after nature," he takes life in its

infinite variety of moods, with its numberless types, as
his canvas. Everywhere he went he studied carefully
those whom he met, listened attentively to the conversation
of nobles and commoners. On account of this deep preoccupation with human nature his friends called him *Le
Contemplateur*. Indeed, what strikes us most in Molière's
great characters is their truth to life, even though, at times,
he has tended to caricature certain of their traits. Molière's
success in portraying true-to-life types is largely to be
explained by the fact that he places his principal characters
in a series of situations which allow us to study their every
aspect. We see Harpagon, for example, as the head of a
family, as usurer, miser, and doting lover. Molière
reveals Alceste's misanthropic nature in the light of
Philinte's faithful friendship and gentler philosophy, or in
contrast to Célimène's coquetry. His procedure has been
felicitously compared with that of a chemist who subjects
a body to a series of experiments in order to note its
different reactions. Molière always took good care to
place his characters in the *milieu* most likely to reveal them
to the best advantage. It is a significant fact that the
greater part of his comedies have bourgeois family life as a
background—a fact not to be wondered at, since Molière
here was on ground with which he was specially familiar.

Molière's almost psychological preoccupation with
every aspect of his characters made inevitable the creation
of types as complex and enigmatic as in real life. " Il
peint d'après nature." Now nature, life, or whatever
one cares to call it, is, in essence, rather sad than gay. It is
not surprising, then, that there is hardly a comedy by
Molière, whether it be *L'Avare*, *Le Misanthrope*, or *Les
Femmes savantes*, which does not contain the makings of a
tragedy. How can one depict a father such as Harpagon,
detested by his children, spreading gloom and misery all
around him, or a worthy man such as Alceste, the play-

thing of a coquette, without coming perilously close to tragedy? Nor does Molière seek to avoid the serious or tragic issues in his comedies. He does not, however, linger long over scenes of a tragic nature, but, by some happy comic or even farcical *coup de théâtre*, ingeniously takes our minds from the tragic scene which he had wittingly introduced. It must be remembered, too, that Molière always had a predilection for tragic roles, and it is interesting to note that perhaps the most famous portrait of him by Mignard represents him as Cæsar in *La Mort de Pompée*.

Much has been written about the moral, or, in the opinion of Bossuet, Fénelon, and Jean-Jacques Rousseau, the immoral teaching of Molière's comedies. It would be absurd to try to demonstrate that Molière's works are consciously didactic. We have seen that his primary aims were to please and to be true to nature. Both of these aims would have been defeated had he attempted to make the stage a pulpit in accordance with his critics' desires. Comedy, in Molière's eyes, can be truly moral only by being true to nature, and truth to nature can never be achieved by disguising the weaknesses of virtuous characters, or by concealing the good points of their more wayward fellow-men. Molière has shown, however, that, on the whole, those who yield to vice, passion, pride, and vanity sooner or later fall victim to their ravages, and that those who resist their influence have at least inner satisfaction, if not always outward success. Even so, Molière's critics have accused him of ridiculing the authority of fathers and husbands. But, to take a single example from *L'Avare*, he never intended to justify Cléante's unfilial behaviour. He simply wished to show the pernicious effects of Harpagon's avarice on those nearest to him—that one vice is punished by another. And this example may be multiplied in the other plays.

We have referred more than once during this study to truth to nature, and a final word should be said on what Molière meant by 'nature.' His statement that he " painted after nature " has given rise to still further criticism. It is rational and disciplined nature that Molière extols, not primitive instincts and absolute liberty. He always studies man in relation to his environment, and insists on his moral obligations to his fellow-men.

Like other aspects of Molière's work, his style has often been criticized. It was La Bruyère who somewhat pungently remarked: " Il n'a manqué à Molière que d'éviter le jargon et le barbarisme et d'écrire purement." It is, of course, easily understood that a purist such as La Bruyère is shocked by the inequalities of Molière's style, but, in making the statement just quoted, he shows how completely he, like so many of his fellow-writers, failed to see what is truly great in Molière's writing. It is true that many of Molière's plays were hastily written, and that, at times, he neglected the niceties of what is known as style, but he never neglected to make his characters speak naturally. Every character, whether noble or bourgeois, speaks the language which he would use in real life. We may almost say that there are in Molière's plays as many styles as there are different characters. Molière in no wise set himself up as a stylist. His aim in writing was truth to life and naturalness, and his characters speak accordingly. He is, in this respect, comparable with Shakespeare.

In levelling his accusation against Molière's style La Bruyère no doubt had in mind Molière's characters belonging to the peasant and servant class, whose language was certainly not designed to conform with academic standards of literary elegance. But La Bruyère's very criticism is tantamount to praise, for it shows how completely Molière succeeded in reproducing the speech of real types. Molière himself, who had been absent from Paris during the language-refining process of the *salons*, had retained a full-blooded, vigorous, and blunt manner of speaking. His stay in the provinces made it possible for him to amass at first hand the invaluable material for peasant types such as Alain and Georgette in *L'École des femmes*, Lucas and Jacqueline in *Le Médecin malgré lui*, or the amusing Charlotte and Pierrot in *Don Juan*. As a realist Molière was obliged to make these characters speak the incorrect, rough tongue which they would have employed in real life. What if they repeated themselves, or joined phrase after phrase with the conjunction *et* which appears to have shocked the critic Schérer so profoundly? After all, as Lanson has pointed out, the language of Molière is primarily intended for the ears, not the eyes, and the critics have made a vast blunder in judging comedies so rich in natural verve and spontaneity as if they were books. No! La Bruyère, Fénelon, Vauvenargues, and Schérer stepped on dangerous ground when they attacked Molière's style. Had he, for example, made his peasants speak after the manner of d'Urfé's conventional village types, he would have failed utterly as a realist and as a writer of true comedy. Like his great English predecessor, Shakespeare, Molière found his style in the mouths of prince and peasant alike, and therein lies, in large measure, the true greatness of his art.

4. LE MÉDECIN MALGRÉ LUI : THE PLAY

By R. P. L. Ledésert

It has been said by many critics that *Le Médecin malgré lui* was produced in order to bring larger audiences to *Le Misanthrope*, as the money taken at the last of the first series of performances of the latter (August 1, 1666) had

fallen to a very low figure.   Proof of the success achieved
by performing both plays together has been found in the
fact that for the first joint performance the receipts
amounted to 973 livres 10 sous.   Voltaire himself held
this view in his note on *Le Médecin malgré lui*, where he
says :

> Molière ayant suspendu son chef-d'œuvre du
> *Misanthrope*, le rendit quelque temps après au public,
> accompagné du *Médecin malgré lui*, farce très gaie et
> très bouffonne, et dont le peuple grossier avait besoin :
> à peu près comme à l'Opéra, après une musique noble
> et savante, on entend avec plaisir ces petits airs qui ont
> par eux-mêmes peu de mérite, mais que tout le monde
> retient aisément.   Ces gentillesses frivoles servent à
> faire goûter les beautés sérieuses.
>
> *Le Médecin malgré lui* soutint *Le Misanthrope* ; c'est
> peut-être à la honte de la nature humaine, mais c'est
> ainsi qu'elle est faite : on va plus à la comédie pour rire
> que pour être instruit.   *Le Misanthrope* était l'ouvrage
> d'un sage qui écrivait pour les hommes éclairés ; et
> il fallut que le sage se déguisât en farceur pour plaire
> à la multitude.

This theory is not borne out by the facts, however.
Le Médecin malgré lui was first produced on August 6,
1666.   No performance of *Le Misanthrope* was given
between August 1 and September 3, 1666, during which
period *Le Médecin malgré lui* was performed eleven times.
On September 3 *Le Misanthrope* and *Le Médecin malgré lui*
were performed together, and the same arrangement was
kept for the performances given on September 5, 7, 10,
and 12.   But between October 15 and November 21 *Le
Misanthrope* was performed alone.   It is therefore incorrect
to say that *Le Médecin malgré lui* was produced only in
order to support *Le Misanthrope*, that the buffoon Sganarelle was summoned to the aid of the unfortunate Alceste.
From all contemporary evidence *Le Médecin malgré lui*

met with great success. Indeed, the diarist Robinet wrote
on August 15, 1666, in his *Lettre . . . à Madame* :

> Les amateurs de la santé
> Sauront que dans cette cité
> Un médecin vient de paraître,
> Qui d'Hippocrate est le grand maître.
> On peut guérir en le voyant,
> En l'écoutant, bref, en riant.
> Il n'est nuls maux en la nature
> Dont il ne fasse ainsi la cure.
> Je vous cautionne du moins
> (Et j'en produirais des témoins,
> Je le proteste, infini nombre)
> Que le chagrin tout le plus sombre
> Et dans le cœur plus retranché
> En est à l'instant déniché.
> Il avait guéri ma migraine,
> Et la traîtresse, l'inhumaine
> Par stratagème m'a repris ;
> Mais en reprenant de son ris
> Encore une petite dose,
> Je ne crois vraiment pas qu'elle ose
> Se reposer dans mon cerveau.
> Or ce *medicus* tout nouveau
> Et de vertu si singulière
> Est le propre *Monsieur Molière,*
> Qui fait, sans aucun contredit,
> Tout ce que ci-dessus j'ai dit,
> Dans son *Médecin fait par force,*[1]
> Qui pour rire chacun amorce ;
> Et tels médecins valent bien,
> Sur ma foi, ceux . . . Je ne dis rien.

We can imagine Robinet writing in the first rush of
enthusiasm which followed his seeing a performance of
the play, and can picture him living over again the enjoy-
ment with which his fellow spectators had received the
play, re-echoing in his memory the roars of laughter which
he had shared with them.

---

[1] An alternative title by which the play was also known at the time.

Le Médecin malgré lui is in truth a farce, filled with laughter from beginning to end, and, unlike most of Molière's plays, it contains very few episodes in which laughter gives place to melancholy when we have had time to weigh the portent of the author's thought.   It would, as Voltaire justly said, appeal more than *Le Misanthrope* to " le peuple grossier."   This view was also held by Boileau, and we should bear in mind that both writers thus implied severe adverse criticism of the play.   But though *Le Médecin malgré lui* is not one of Molière's greatest plays, it has that ageless humour which has endeared it to the public ever since its creation, a humour that will still draw hearty laughter from a twentieth-century audience.   It has been imitated in and translated into many languages ; and Fielding's version of it under the title *The Mock Doctor* (1732) met with great success in England.

The plot of *Le Médecin malgré lui* was borrowed by Molière from one of the best known of the French medieval *fabliaux*, *Le Vilain Mire* (" The Peasant made Doctor," thirteenth century).   Critics have argued that, as no printed edition of this work existed in the seventeenth century, Molière's plot may thus have been conceived independently.   But *Le Vilain Mire* was so well known throughout Europe that it had inspired an episode of *Till Eulenspiegel*, and had even been transformed into a Russian tale.   It is conceivable that in Italy, where the tale was also known, it may have engendered a farce, and that in Spain it inspired Lope de Vega when he wrote *El Acero de Madrid*.   As Molière was a student of both the Italian and the Spanish theatres, he may have found there the theme of his play. But this is mere speculation.   It is no less probable that as the tale of *Le Vilain Mire* had been so widely known, it had been handed down in France by word of mouth and that Molière had become familiar with it, either in his childhood or in the course of his travels.

Molière, however, used only part of the plot of the old *fabliau* for *Le Médecin malgré lui*. *Le Vilain Mire* describes how a woman, beaten by her husband, avenges herself by persuading the King's emissaries that he is a doctor but that until he is given a good thrashing he will not admit it. The husband, now a ' doctor ' by virtue of the blows he has received, is brought before the King's daughter in order that he may cure her. By pulling faces at her, he makes her laugh so much that she expels the fish-bone that she had swallowed and which no doctor had been able to extract from her throat. The ' doctor in spite of himself ' thereupon becomes so famous that large numbers of sick people implore him to cure them, and he manages to rid himself of them only by declaring that they are healthy, after playing a rather unpleasant trick on their credulity.

It is therefore obvious that *Le Vilain Mire's* contribution to *Le Médecin malgré lui* is chiefly restricted to the plot of Act I. For, indeed, Lucinde's illness (Acts II and III) is not a genuine ailment like that of the King's daughter, and Sganarelle's reputation as a physician is exploded as soon as he has performed a miraculous cure, while in the *fabliau* the doctor in spite of himself is richly rewarded for his services.

Thus Molière borrowed only part of the plot of *Le Vilain Mire*, and in his adaptation brought out fully the essential comic possibilities of the idea of a woodcutter turned doctor.

The play is a farce built up around one central character. It is lightly and possibly even hastily written, characteristic of Molière the actor rather than Molière the author. It is, indeed, a play to which full justice cannot be done by reading, for its success depends to a large extent on the comic by-play which supplements the dialogue. It has a close twentieth-century counterpart in *Knock ou le Triomphe de la Médecine*, a satire on the medical profession by Jules

Romains, who has built up an amusing farce round the central character of Dr Knock, which he created for the actor Louis Jouvet much in the same way that Molière created Sganarelle for himself.

Le Médecin malgré lui adds another portrait to the gallery of Molière's collection of bitter and merciless satires of the medical profession: in this gallery hang *Le Médecin volant* (1659), *L'Amour médecin* (1665), *Le Médecin malgré lui* (1666), *M. de Pourceaugnac* (1669), and, finally, in the place of honour, the masterpiece of *Le Malade imaginaire* (1673). In addition to these main works, Molière is also the author of smaller studies in the same *genre* placed within the framework of other comedies, notably in the scene in *Don Juan* (1665) (Act III, Scene 1) in which the lesson of *Le Médecin malgré lui* is already to be found:

Sganarelle, déguisé en médecin, Don Juan

DON JUAN

Et quels remèdes encore leur as-tu ordonnés ?

SGANARELLE

Ma foi ! Monsieur, j'en ai pris par où j'en ai pu attraper. J'ai fait mes ordonnances à l'aventure, et ce serait une chose plaisante si les malades guérissaient, et qu'on m'en vînt remercier.

DON JUAN

Et pourquoi non ? Par quelle raison n'aurais-tu pas les mêmes privilèges qu'ont tous les autres médecins ? Ils n'ont pas plus de part que toi aux guérisons des malades, et tout leur art est pure grimace. Ils ne font rien que recevoir la gloire des heureux succès, et tu peux profiter comme eux du bonheur du malade, et voir attribuer à tes remèdes tout ce qui peut venir des faveurs du hasard et des forces de la nature.

SGANARELLE

Comment, Monsieur, vous êtes aussi impie en médecine ?

DON JUAN

C'est une des grandes erreurs qui soient parmi les hommes.

SGANARELLE

Quoi ? vous ne croyez pas au séné, ni à la casse, ni au vin émétique ?

DON JUAN

Et pourquoi veux-tu que j'y croie ?

SGANARELLE

Vous avez l'âme bien mécréante. Cependant vous voyez, depuis un temps, que le vin émétique fait bruire ses fuseaux.[1] Ses miracles ont converti les plus incrédules esprits, et il n'y a pas trois semaines que j'en ai vu, moi qui vous parle, un effet merveilleux.

DON JUAN

Et quel ?

SGANARELLE

Il y avait un homme qui, depuis six jours, était à l'agonie ; on ne savait plus que lui ordonner, et tous les remèdes ne faisaient rien ; on s'avisa à la fin de lui donner de l'émétique.

DON JUAN

Il réchappa, n'est-ce pas ?

SGANARELLE

Non, il mourut.

DON JUAN

L'effet est admirable.

[1] is making such a stir.

SGANARELLE

Comment ? il y avait six jours entiers qu'il ne pouvait mourir, et cela le fit mourir tout d'un coup.   Voulez-vous rien de plus efficace ?

DON JUAN

Tu as raison.

What, then, were Molière's reasons for this display of bitter sarcasm directed against the medical profession ? In the first place, Molière loathed affectation, hypocrisy, and pedantry in all its forms, as he has shown in *Le Tartuffe*, *Le Bourgeois gentilhomme*, and *Les Femmes savantes*. Most of the doctors of his day were pedantic, hypocritical, and affected.   Medicine as a science was still in its infancy, and the doctors, for all their display of knowledge, had little recourse beyond the doubtful remedies of blood-letting, the use of purgative herbs, or the *vin émétique* to which Molière refers in *Le Médecin malgré lui* in the scene where the two peasants Thibaut and Perrin come to ask him for a cure for Thibaut's wife who is ill with *hypocrisie*. Most members of the medical profession concealed their lack of knowledge and skill under a cloak of learned phrases, trading on the ignorance of their patients. Molière himself had suffered at the hands of doctors unable to diagnose his complaint.   Thus there is a great deal of Molière's personal experience behind Sganarelle's remark : " Ils m'ont fait médecin malgré mes dents. . . ." (Act III, Scene 1.)

The judgment of posterity has shown how Molière's attempt to satirize and expose the medical profession in *Le Médecin volant* and *L'Amour médecin* failed in its object.   In due deference to Molière's judgment, it must be assured that he realized this when he wrote *Le Médecin malgré lui*.   The public had laughed heartily at Mascarille and Jodelet in *Les Précieuses ridicules*.   But there they were laughing merely at the comedy of an impossibly farcical situation. They would laugh even more at Sganarelle, whom he would create as a central character in an equally comic and impossible situation. His satire might fall on unresponsive ears, but he could at least be certain of scoring a popular success with his portrayal of the central character.

Sganarelle, the doctor in spite of himself, endears himself to his audience through the essentially comic possibilities of his vices. The drunkard or the wife-beater, against a farcical background, makes his comic appeal on the stage in any country and in any age. The desire for money also has its humorous side, and Molière has seized upon this and portrays it as a comic, though not unlovable trait, in Sganarelle's nature. Sganarelle may help the two lovers to escape, but he is not without an eye to the pecuniary advantages of the move, as Act II, Scene 5, illustrates. And his conversion to the profession of medicine is speeded by the glowing picture of wealth conjured up for him by Valère :

VALÈRE. Enfin, Monsieur, vous aurez contentement avec nous ; et vous gagnerez ce que vous voudrez, en vous laissant conduire où nous prétendons vous mener.

SGANARELLE. Je gagnerai ce que je voudrai ?

VALÈRE. Oui.

SGANARELLE. Ah ! je suis médecin, sans contredit : je l'avais oublié ; mais je m'en ressouviens. De quoi est-il question ? Où faut-il se transporter ?

(Act I, Scene 5)

This is material for any farce. But Sganarelle is more than the comic personification of a few common vices. Molière has endowed him with a personality, and has given him the reactions of a real man, even in the most impossible of situations, with the result that we laugh with him rather than at him.

The same is true of the scene in Act III where Martine, arriving from the country in search of her husband, finds him about to be arrested and punished.   There is just that slight element of the pathetic mixed with the farcical in the passage where she takes a malicious pleasure in tormenting the hapless Sganarelle :

MARTINE. Faut-il que tu te laisses mourir en présence de tant de gens ?

SGANARELLE. Que veux-tu que j'y fasse ?

MARTINE. Encore si tu avais achevé de couper notre bois, je prendrais quelque consolation.

SGANARELLE. Retire-toi, tu me fends le cœur.

MARTINE. Non, je veux demeurer pour t'encourager à la mort, et je ne te quitterai point que je ne t'aie vu pendu.

SGANARELLE. Ah !

(Act III, Scene 9)

The character of Martine is only lightly sketched, but she nevertheless acts as an excellent foil for Sganarelle, with her sturdy independence, her practical outlook (which can be very comic, as in the scene quoted above), and her quick retorts.   Indeed, she and Lucas alone stand out among the secondary characters of the play.   Lucas is a type rather than a personage, but he represents a good characterization of the peasant of Molière's day, and has more positive qualities than the other characters, who merely fill in the story and give opportunities for comic by-play on the part of Sganarelle.

Great as was the success of *Le Médecin malgré lui* at the time of its production, Molière nevertheless suffered adverse criticism of his play, notably at the hands of Boileau. In his *Art Poétique* (Chant III, lines 391 and following) Boileau sets out his rules for the writers of comedy :

Étudiez la Cour et connaissez la Ville ;
L'une et l'autre est toujours en modèles fertile.
C'est par là que Molière, illustrant ses écrits,

> Peut-être de son art eût remporté le prix
> Si moins ami du peuple en ses doctes peintures,
> Il n'eût point fait souvent grimacer ses figures,
> Quitté, pour le bouffon, l'agréable et le fin,
> Et sans honte à Térence allié Tabarin.

A little earlier (*Art Poétique*, Chant III, lines 359, 360) Boileau had written :

> Que la Nature donc soit votre étude unique,
> Auteurs, qui prétendez aux honneurs du comique.

This second recommendation may appear difficult to reconcile with the strictures contained in the first. But it must be remembered that the only sort of nature Boileau, like most of his contemporaries, recognized was that of the Court and of the city :

> Étudiez la Cour et connaissez la Ville.

Authors were at liberty to choose their models from the courtiers, the noblemen, and the upper bourgeoisie, but not from the " lower forms of life," such as the peasantry. And this is where, in the eyes of Boileau, Molière failed, for in *Le Médecin malgré lui*, as well as in some of his other plays, he portrays peasants and servants—the ordinary people of his time. Indeed, he is almost unique among the great writers of his century in presenting us with a picture of the life of the common people, sharing that distinction with La Fontaine, the other outstanding 'free' writer of the time, whose genius refused to be confined to the artificial mould advocated by the critics and literary theorists.

Lucas exemplifies Molière's ability to present the average peasant type not only of his day but of any age. Lucas' language is not so far removed from that of the Norman countryman to-day. His outburst of veneration at the " learning " of Sganarelle :

> " Oh ! morguenne ! il faut tirer l'échelle après ceti-là, et tous les autres ne sont pas daignes de li déchausser ses souillez." (Act II, Scene 1.)

4

conjures up for us the picture of a typical Norman peasant of our own times standing arms akimbo in wide-mouthed admiration. Molière's portraiture of the character of Lucas is slight, but sufficient to clothe Lucas with a definite personality. His feelings of profound admiration for Sganarelle's "erudition" and in particular for his "Latin" reach their climax in his exclamation :

"Oui, ça est si biau, que je n'y entends goutte."

We laugh at him because we can find a parallel to Molière's fundamental observation of human nature at any age and in any country.

This power of observation and gift for exploiting the comic is also illustrated in that short scene (Act I, Scene 2), in no way instrumental to the action of the play, in which M. Robert, Sganarelle's and Martine's neighbour, attempts to intervene in their quarrel and manages to get beaten into the bargain, while Martine, whom he attempts to protect, says :

MARTINE. Mêlez-vous de vos affaires.
M. ROBERT. Je ne dis plus mot.
MARTINE. Il me plaît d'être battue.
M. ROBERT. D'accord.
MARTINE. Ce n'est pas à vos dépens.
M. ROBERT. Il est vrai.
MARTINE. Et vous êtes un sot de venir vous fourrer où vous n'avez que faire.

For it is a remarkable feature of human nature that a woman, however much she may arraign her husband and take him to task in private, will often defend him stubbornly before others.

Though Le Médecin malgré lui may not be one of Molière's greater plays, it deserves more than the dismissal with a wave of the hand that so many literary critics have accorded to it. Designed as a play for a great comic actor, it is splendid entertainment.   It makes good reading.   And it is all the more interesting from our point of view in that it gives an excellent portrait of the common man of Molière's day, a picture rarely to be found in the literature or even the art of the seventeenth century.   Above all, it has stood the test of time.   *Le Médecin malgré lui*, itself a revival of that robust humour which so delighted the medieval crowds, has remained a favourite with the public right up to the present day.

SUGGESTIONS FOR FURTHER READING AND REFERENCE

I. THE COMPLETE WORKS OF MOLIÈRE

Editions of Molière's works are numerous.   The edition published in the " Collection des Grands Écrivains de la France " (Hachette, 1873–93), edited by Eugène Despois and Paul Mesnard, may be regarded as the standard edition of the complete works of Molière.   This text is based on it.

There are several other adequate and cheaper French editions, such as that in the " Collection des classiques Garnier."

II. MOLIÈRE'S LIFE AND WORKS
(complete books and critical studies)

ASHTON, H. : *Molière* (Routledge, 1930).

BENJAMIN, R. : *Molière* (Plon, 1936).

BRISSON, P. : *Molière, sa Vie dans ses Œuvres* (Gallimard, 1942).

BRUNETIÈRE, F. : *Études critiques*, vol. iv (Hachette, 1890). See also *Les Époques du Théâtre français* (1901), and vol. viii of the *Études*.

BRUYELLE, R. : *Les Personnages de la Comédie de Molière* (Debresse, 1946).

DONNAY, M. : *Molière* (Fayard, 1911).

FAGUET, E. : *Dix-septième Siècle*, in " Études littéraires " (Lecène, Oudin, 1885 *et seq.*)   See also his excellent critical study *En lisant Molière* (Hachette, 1914).

FERNANDEZ, R. : *La Vie de Molière* (Éditions de la Nouvelle Revue Française, 1929).

LANCASTER, H. : *A History of French Dramatic Literature in the Seventeenth Century*, Part III, *The Period of Molière* 1652–1672, 2 vols. (Baltimore, Johns Hopkins, 1936).
LARROUMET, C. : *La Comédie de Molière* (Hachette, 1886).
MICHAUT, G. : *La Jeunesse de Molière* (Hachette, 1922).
MICHAUT, G. : *Les Débuts de Molière à Paris* (Hachette, 1923).
MICHAUT, G. : *Les grandes Luttes de Molière* (Hachette, 1925).
MICHAUT, G. : *Le Triomphe de Molière* (Hachette, 1927).
RIGAL, E. : *Molière* (Hachette, 1908), 2 vols.
STAPFER, P. : *Molière et Shakespeare* (Hachette, 1899).
TURNELL, M. : *The Classical Moment* (Hamish Hamilton, 1947).
Molière, Encyclopédie par l'image (Hachette, 1926).

III. MOLIÈRE'S AGE AND BACKGROUND

ASHTON, H. : *Preface to Molière* (Longmans, 1927).
BOULANGER, J. : *Le Grand Siècle* (Hachette).
BRAUNSCHVIG, M. : *Notre Littérature étudiée dans les Textes*, tome Ier (Armand Colin).
LAVISSE, E. : *Histoire de France depuis les Origines jusqu'à la Révolution* (Hachette, 1901–7).
LEDÉSERT, R. P. L. and D. M. : *Histoire de la Littérature française*, tome Ier (Longmans Green, New York).
MALET ET ISAAC : *XVIIe et XVIIIe Siècles* (Hachette).
MORNET, D. : *Histoire de la Littérature française classique*, 1660–1700 (Armand Colin, 1947).
STRACHEY, G. Lytton : *Landmarks in French Literature* (" Home University Library," Oxford University Press).

LE MÉDECIN MALGRÉ LUI

ACTEURS

Sganarelle, mari de Martine.

Martine, femme de Sganarelle.

M. Robert, voisin de Sganarelle.

Valère, domestique de Géronte.

Lucas, mari de Jacqueline.

Géronte, père de Lucinde.

Jacqueline, nourrice chez Géronte, et femme de Lucas.

Lucinde, fille de Géronte.

Léandre, amant de Lucinde.

Thibaut, père de Perrin.

Perrin, fils de Thibaut, paysan.

ACTE I

SCÈNE PREMIÈRE

Sganarelle, Martine, paraissant sur le théâtre en se querellant.

SGANARELLE. Non, je te dis que je n'en veux rien faire, et que c'est à moi de parler et d'être le maître.

MARTINE. Et je te dis, moi, que je veux que tu vives à ma fantaisie, et que je ne me suis point mariée avec toi pour souffrir tes fredaines. 5

SGANARELLE. O la grande fatigue que d'avoir une femme ! et qu'Aristote a bien raison, quand il dit qu'une femme est pire qu'un démon !

MARTINE. Voyez un peu l'habile homme, avec son benêt d'Aristote ! 10

SGANARELLE. Oui, habile homme : trouve-moi un faiseur de fagots qui sache, comme moi, raisonner des choses, qui ait servi six ans un fameux médecin, et qui ait su, dans son jeune âge, son rudiment par cœur. 15

MARTINE. Peste du fou fieffé !

SGANARELLE. Peste de la carogne !

MARTINE. Que maudits soient l'heure et le jour où je m'avisai d'aller dire oui !

SGANARELLE. Que maudit soit le bec cornu de notaire 20 qui me fit signer ma ruine !

MARTINE. C'est bien à toi, vraiment, à te plaindre de cette affaire. Devrais-tu être un seul moment sans rendre grâce au Ciel de m'avoir pour ta femme ? et méritais-tu d'épouser une personne comme moi ? 25

SGANARELLE. Il est vrai que tu me fis trop d'honneur,

2

et que j'eus lieu de me louer la première nuit de nos
noces! Hé! morbleu! ne me fais point parler
là-dessus : je dirais de certaines choses . . .

MARTINE. Quoi ? que dirais-tu ?

SGANARELLE. Baste, laissons là ce chapitre. Il suffit 5
que nous savons ce que nous savons, et que tu fus
bien heureuse de me trouver.

MARTINE. Qu'appelles-tu bien heureuse de te trouver ?
Un homme qui me réduit à l'hôpital, un débauché,
un traître, qui me mange tout ce que j'ai ? 10

SGANARELLE. Tu as menti : j'en bois une partie.

MARTINE. Qui me vend, pièce à pièce, tout ce qui est
dans le logis.

SGANARELLE. C'est vivre de ménage.

MARTINE. Qui m'a ôté jusqu'au lit que j'avais. 15

SGANARELLE. Tu t'en lèveras plus matin.

MARTINE. Enfin qui ne laisse aucun meuble dans toute la
maison.

SGANARELLE. On en déménage plus aisément.

MARTINE. Et qui, du matin jusqu'au soir, ne fait que jouer 20
et que boire.

SGANARELLE. C'est pour ne me point ennuyer.

MARTINE. Et que veux-tu, pendant ce temps, que je fasse
avec ma famille ?

SGANARELLE. Tout ce qu'il te plaira. 25

MARTINE. J'ai quatre pauvres petits enfants sur les bras.

SGANARELLE. Mets-les à terre.

MARTINE. Qui me demandent à toute heure du pain.

SGANARELLE. Donne-leur le fouet : quand j'ai bien bu
et bien mangé, je veux que tout le monde soit saoul 30
dans ma maison.

MARTINE. Et tu prétends, ivrogne, que les choses aillent
toujours de même ?

SGANARELLE. Ma femme, allons tout doucement, s'il vous
plaît. 35

MARTINE. Que j'endure éternellement tes insolences et
tes débauches ?

SGANARELLE. Ne nous emportons point, ma femme.

MARTINE. Et que je ne sache pas trouver le moyen de te
ranger à ton devoir ?   5

SGANARELLE. Ma femme, vous savez que je n'ai pas l'âme
endurante, et que j'ai le bras assez bon.

MARTINE. Je me moque de tes menaces.

SGANARELLE. Ma petite femme, ma mie, votre peau vous
démange, à votre ordinaire.   10

MARTINE. Je te montrerai bien que je ne te crains
nullement.

SGANARELLE. Ma chère moitié, vous avez envie de me
dérober quelque chose.

MARTINE. Crois-tu que je m'épouvante de tes paroles ?   15

SGANARELLE. Doux objet de mes vœux, je vous frotterai
les oreilles.

MARTINE. Ivrogne que tu es !

SGANARELLE. Je vous battrai.

MARTINE. Sac à vin !   20

SGANARELLE. Je vous rosserai.

MARTINE. Infâme !

SGANARELLE. Je vous étrillerai.

MARTINE. Traître, insolent, trompeur, lâche, coquin,
pendard, gueux, bélître, fripon, maraud, voleur . . .!   25

SGANARELLE. [*Il prend un bâton, et lui en donne.*]   Ah ! vous
en voulez donc ?

MARTINE. Ah, ah, ah, ah !

SGANARELLE. Voilà le vrai moyen de vous apaiser.

SCÈNE II

M. Robert, Sganarelle, Martine

M. ROBERT. Holà, holà, holà ! Fi ! Qu'est ceci ?   30

Quelle infamie ! Peste soit le coquin, de battre ainsi sa femme !

MARTINE, *les mains sur les côtés, lui parle en le faisant reculer, et à la fin lui donne un soufflet.* Et je veux qu'il me batte, moi. 5

M. ROBERT. Ah ! j'y consens de tout mon cœur.

MARTINE. De quoi vous mêlez-vous ?

M. ROBERT. J'ai tort.

MARTINE. Est-ce là votre affaire ?

M. ROBERT. Vous avez raison. 10

MARTINE. Voyez un peu cet impertinent, qui veut empêcher les maris de battre leurs femmes.

M. ROBERT. Je me rétracte.

MARTINE. Qu'avez-vous à voir là-dessus ?

M. ROBERT. Rien. 15

MARTINE. Est-ce à vous d'y mettre le nez ?

M. ROBERT. Non.

MARTINE. Mêlez-vous de vos affaires.

M. ROBERT. Je ne dis plus mot.

MARTINE. Il me plaît d'être battue. 20

M. ROBERT. D'accord.

MARTINE. Ce n'est pas à vos dépens.

M. ROBERT. Il est vrai.

MARTINE. Et vous êtes un sot de venir vous fourrer où vous n'avez que faire. 25

M. ROBERT. [*Il passe ensuite vers le mari, qui pareillement lui parle toujours en le faisant reculer, le frappe avec le même bâton et le met en fuite ; il dit à la fin :*] Compère, je vous demande pardon de tout mon cœur. Faites, rossez, battez, comme il faut, votre femme ; je vous aiderai, 30 si vous le voulez.

SGANARELLE. Il ne me plaît pas, moi.

M. ROBERT. Ah ! c'est une autre chose.

SGANARELLE. Je la veux battre, si je le veux ; et ne la veux pas battre, si je ne le veux pas. 35

M. ROBERT. Fort bien.

SGANARELLE. C'est ma femme, et non pas la vôtre.

M. ROBERT. Sans doute.

SGANARELLE. Vous n'avez rien à me commander.

M. ROBERT. D'accord.   5

SGANARELLE. Je n'ai que faire de votre aide.

M. ROBERT. Très volontiers.

SGANARELLE. Et vous êtes un impertinent, de vous
     ingérer des affaires d'autrui. Apprenez que Cicéron
     dit qu'entre l'arbre et le doigt il ne faut point mettre   10
     l'écorce. [*Ensuite il revient vers sa femme, et lui dit, en
     lui pressant la main :*] O çà, faisons la paix nous deux.
     Touche là.

MARTINE. Oui ! après m'avoir ainsi battue !

SGANARELLE. Cela n'est rien, touche.   15

MARTINE. Je ne veux pas.

SGANARELLE. Eh !

MARTINE. Non.

SGANARELLE. Ma petite femme!

MARTINE. Point.   20

SGANARELLE. Allons, te dis-je.

MARTINE. Je n'en ferai rien.

SGANARELLE. Viens, viens, viens.

MARTINE. Non : je veux être en colère.

SGANARELLE. Fi ! c'est une bagatelle. Allons, allons.   25

MARTINE. Laisse-moi là.

SGANARELLE. Touche, te dis-je.

MARTINE. Tu m'as trop maltraitée.

SGANARELLE. Eh bien va, je te demande pardon : mets
     là ta main.   30

MARTINE. Je te pardonne ; [*elle dit le reste bas*] mais tu
     le payeras.

SGANARELLE. Tu es une folle de prendre garde à cela :
     ce sont petites choses qui sont de temps en temps
     nécessaires dans l'amitié ; et cinq ou six coups de   35

bâton, entre gens qui s'aiment, ne font que regaillardir
l'affection.   Va, je m'en vais au bois, et je te promets
aujourd'hui plus d'un cent de fagots.

SCÈNE III

Martine, seule

Va, quelque mine que je fasse, je n'oublie pas mon
ressentiment ; et je brûle en moi-même de trouver les   5
moyens de te punir des coups que tu me donnes.   Je sais
bien qu'une femme a toujours dans les mains de quoi se
venger d'un mari ; mais c'est une punition trop délicate
pour mon pendard : je veux une vengeance qui se fasse
un peu mieux sentir ; et ce n'est pas contentement pour   10
l'injure que j'ai reçue.

SCÈNE IV

Valère, Lucas, Martine

LUCAS. Parguenne ! j'avons pris là tous deux une gueble
    de commission ; et je ne sais pas, moi, ce que je
    pensons attraper.
VALÈRE. Que veux-tu, mon pauvre nourricier ? il faut   15
    bien obéir à notre maître ; et puis nous avons intérêt,
    l'un et l'autre, à la santé de sa fille, notre maîtresse ;
    et sans doute son mariage, différé par sa maladie,
    nous vaudrait quelque récompense. Horace, qui
    est libéral, a bonne part aux prétentions qu'on peut   20
    avoir sur sa personne ; et quoiqu'elle ait fait voir

de l'amitié pour un certain Léandre, tu sais bien que son père n'a jamais voulu consentir à le recevoir pour son gendre.

MARTINE, *rêvant à part elle.* Ne puis-je point trouver quelque invention pour me venger ?   5

LUCAS. Mais quelle fantaisie s'est-il boutée là dans la tête, puisque les médecins y avont tous pardu leur latin ?

VALÈRE. On trouve quelquefois, à force de chercher, ce qu'on ne trouve pas d'abord ; et souvent, en de   10 simples lieux . . .

MARTINE. Oui, il faut que je m'en venge à quelque prix que ce soit : ces coups de bâton me reviennent au cœur, je ne les saurais digérer, et . . . [*Elle dit tout ceci en rêvant, de sorte que ne prenant pas garde à ces deux*   15 *hommes, elle les heurte en se retournant, et leur dit* :] Ah ! Messieurs, je vous demande pardon ; je ne vous voyais pas, et cherchais dans ma tête quelque chose qui m'embarrasse.

VALÈRE. Chacun a ses soins dans le monde, et nous   20 cherchons aussi ce que nous voudrions bien trouver.

MARTINE. Serait-ce quelque chose où je vous puisse aider ?

VALÈRE. Cela se pourrait faire ; et nous tâchons de rencontrer quelque habile homme, quelque médecin   25 particulier, qui pût donner quelque soulagement à la fille de notre maître, attaquée d'une maladie qui lui a ôté tout d'un coup l'usage de la langue. Plusieurs médecins ont déjà épuisé toute leur science après elle ; mais on trouve parfois des gens avec des secrets   30 admirables, de certains remèdes particuliers, qui font le plus souvent ce que les autres n'ont su faire ; et c'est là ce que nous cherchons.

MARTINE. [*Elle dit ces premières lignes bas.*] Ah ! que le Ciel m'inspire une admirable invention pour me ven-   35

ger de mon pendard! [*Haut.*] Vous ne pouviez
jamais vous mieux adresser pour rencontrer ce que
vous cherchez ; et nous avons ici un homme, le plus
merveilleux homme du monde, pour les maladies
désespérées. 5

VALÈRE. Et de grâce, où pouvons-nous le rencontrer ?

MARTINE. Vous le trouverez maintenant vers ce petit
lieu que voilà, qui s'amuse à couper du bois.

LUCAS. Un médecin qui coupe du bois !

VALÈRE. Qui s'amuse à cueillir des simples, voulez-vous 10
dire ?

MARTINE. Non : c'est un homme extraordinaire qui se
plaît à cela, fantasque, bizarre, quinteux, et que
vous ne prendriez jamais pour ce qu'il est. Il va
vêtu d'une façon extravagante, affecte quelquefois 15
de paraître ignorant, tient sa science renfermée,
et ne fuit rien tant tous les jours que d'exercer les
merveilleux talents qu'il a eus du Ciel pour la
médecine.

VALÈRE. C'est une chose admirable, que tous les grands 20
hommes ont toujours du caprice, quelque petit
grain de folie mêlé à leur science.

MARTINE. La folie de celui-ci est plus grande qu'on
ne peut croire, car elle va parfois jusqu'à vouloir
être battu pour demeurer d'accord de sa capacité ; 25
et je vous donne avis que vous n'en viendrez point
à bout, qu'il n'avouera jamais qu'il est médecin,
s'il se le met en fantaisie, que vous ne preniez
chacun un bâton, et ne le réduisiez, à force de
coups, à vous confesser à la fin ce qu'il vous cachera 30
d'abord. C'est ainsi que nous en usons quand
nous avons besoin de lui.

VALÈRE. Voilà une étrange folie !

MARTINE. Il est vrai ; mais, après cela, vous verrez qu'il
fait des merveilles. 35

VALÈRE. Comment s'appelle-t-il ?

MARTINE. Il s'appelle Sganarelle ; mais il est aisé à connaître : c'est un homme qui a une large barbe noire, et qui porte une fraise, avec un habit jaune et vert.   5

LUCAS. Un habit jaune et vart ! C'est donc le médecin des paroquets ?

VALÈRE. Mais est-il bien vrai qu'il soit si habile que vous le dites ?

MARTINE. Comment ? C'est un homme qui fait des 10 miracles. Il y a six mois qu'une femme fut aban- donnée de tous les autres médecins : on la tenait morte il y avait déjà six heures, et l'on se disposait à l'ensevelir, lorsqu'on y fit venir de force l'homme dont nous parlons. Il lui mit, l'ayant vue, une 15 petite goutte de je ne sais quoi dans la bouche, et, dans le même instant, elle se leva de son lit, et se mit aussitôt à se promener dans sa chambre, comme si de rien n'eût été.

LUCAS. Ah !   20

VALÈRE. Il fallait que ce fût quelque goutte d'or potable.

MARTINE. Cela pourrait bien être. Il n'y a pas trois semaines encore qu'un jeune enfant de douze ans tomba du haut du clocher en bas, et se brisa, sur le pavé, la tête, les bras et les jambes. On n'y eut pas 25 plus tôt amené notre homme, qu'il le frotta par tout le corps d'un certain onguent qu'il sait faire ; et l'enfant aussitôt se leva sur ses pieds, et courut jouer à la fossette.

LUCAS. Ah !   30

VALÈRE. Il faut que cet homme-là ait la médecine univer- selle.

MARTINE. Qui en doute ?

LUCAS. Testigué ! velà justement l'homme qu'il nous faut. Allons vite le charcher.   35

VALÈRE. Nous vous remercions du plaisir que vous nous faites.

MARTINE. Mais souvenez-vous bien au moins de l'avertissement que je vous ai donné.

LUCAS. Eh, morguenne ! laissez-nous faire : s'il ne tient 5 qu'à battre, la vache est à nous.

VALÈRE. Nous sommes bien heureux d'avoir fait cette rencontre ; et j'en conçois, pour moi, la meilleure espérance du monde.

SCÈNE V

Sganarelle, Valère, Lucas

SGANARELLE *entre sur le théâtre en chantant et tenant une* 10 *bouteille.* La, la, la.

VALÈRE. J'entends quelqu'un qui chante, et qui coupe du bois.

SGANARELLE. La, la, la . . . Ma foi, c'est assez travaillé pour boire un coup. Prenons un peu d'haleine. 15 [*Il boit, et dit après avoir bu :*] Voilà du bois qui est salé comme tous les diables.

> *Qu'ils sont doux,*
> *Bouteille jolie,*
> *Qu'ils sont doux*
> *Vos petits glouglous !* 20
> *Mais mon sort ferait bien des jaloux,*
> *Si vous étiez toujours remplie*
> *Ah ! bouteille, ma mie,*
> *Pourquoi vous videz-vous ?* 25

Allons, morbleu ! il ne faut point engendrer de mélancolie.

5

LE MÉDECIN MALGRÉ LUI

Chanson de Sganarelle, Acte I, Scène V
(*Musique de Lulli*, 1666)

VALÈRE. Le voilà lui-même.

LUCAS. Je pense que vous dites vrai, et que j'avons bouté le nez dessus.

VALÈRE. Voyons de près.

SGANARELLE, *les apercevant, les regarde en se tournant vers* 5
l'un et puis vers l'autre, et abaissant sa voix, dit : Ah !
ma petite friponne ! que je t'aime, mon petit bouchon !
. . . *Mon sort . . . ferait . . . bien des . . . jaloux,*
Si . . .
Que diable ! à qui en veulent ces gens-là ? 10

VALÈRE. C'est lui assurément.

LUCAS. Le velà tout craché comme on nous l'a défiguré.

SGANARELLE, *à part.* [*Ici il pose sa bouteille à terre, et*
Valère se baissant pour le saluer, comme il croit que
c'est à dessein de la prendre, il la met de l'autre côté ; 15
ensuite de quoi, Lucas faisant la même chose, il la
reprend, et la tient contre son estomac, avec divers gestes
qui font un grand jeu de théâtre.] Ils consultent en me
regardant. Quel dessein auraient-ils ?

VALÈRE. Monsieur, n'est-ce pas vous qui vous appelez 20
Sganarelle ?

SGANARELLE. Eh quoi ?

VALÈRE. Je vous demande si ce n'est pas vous qui se
nomme Sganarelle.

SGANARELLE, *se tournant vers Valère, puis vers Lucas.* Oui 25
et non, selon ce que vous lui voulez.

VALÈRE. Nous ne voulons que lui faire toutes les civilités
que nous pourrons.

SGANARELLE. En ce cas, c'est moi qui se nomme Sganarelle. 30

VALÈRE. Monsieur, nous sommes ravis de vous voir.
On nous a adressés à vous pour ce que nous cherchons ; et nous venons implorer votre aide, dont
nous avons besoin.

SGANARELLE. Si c'est quelque chose, Messieurs, qui dé- 35

SGANARELLE

Quel dessein auraient-ils?

pende de mon petit négoce, je suis tout prêt à vous
rendre service.

VALÈRE. Monsieur, c'est trop de grâce que vous nous
faites. Mais, Monsieur, couvrez-vous, s'il vous
plaît; le soleil pourrait vous incommoder.   5

LUCAS. Monsieur, boutez dessus.

SGANARELLE, *bas.* Voici des gens bien pleins de cérémonie.

VALÈRE. Monsieur, il ne faut pas trouver étrange que
nous venions à vous : les habiles gens sont toujours
recherchés, et nous sommes instruits de votre   10
capacité.

SGANARELLE. Il est vrai, Messieurs, que je suis le premier
homme du monde pour faire des fagots.

VALÈRE. Ah! Monsieur . . .

SGANARELLE. Je n'y épargne aucune chose, et les fais   15
d'une façon qu'il n'y a rien à dire.

VALÈRE. Monsieur, ce n'est pas cela dont il est question.

SGANARELLE. Mais aussi je les vends cent dix sols le cent.

VALÈRE. Ne parlons point de cela, s'il vous plaît.

SGANARELLE. Je vous promets que je ne saurais les   20
donner à moins.

VALÈRE. Monsieur, nous savons les choses.

SGANARELLE. Si vous savez les choses, vous savez que
je les vends cela.

VALÈRE. Monsieur, c'est se moquer que . . .   25

SGANARELLE. Je ne me moque point, je n'en puis rien
rabattre.

VALÈRE. Parlons d'autre façon, de grâce.

SGANARELLE. Vous en pourrez trouver autre part à moins :
il y a fagots et fagots ; mais pour ceux que je fais . . . 30

VALÈRE. Eh! Monsieur, laissons là ce discours.

SGANARELLE. Je vous jure que vous ne les auriez pas,
s'il s'en fallait un double.

VALÈRE. Eh fi !

SGANARELLE. Non, en conscience, vous en payerez cela. 35

Je vous parle sincèrement, et ne suis pas homme à
surfaire.

VALÈRE. Faut-il, Monsieur, qu'une personne comme
vous s'amuse à ces grossières feintes ? s'abaisse à
parler de la sorte ? qu'un homme si savant, un   5
fameux médecin, comme vous êtes, veuille se déguiser
aux yeux du monde, et tenir enterrés les beaux talents
qu'il a ?

SGANARELLE, *à part.* Il est fou.

VALÈRE. De grâce, Monsieur, ne dissimulez point avec 10
nous.

SGANARELLE. Comment ?

LUCAS. Tout ce tripotage ne sart de rian ; je savons
çen que je savons.

SGANARELLE. Quoi donc ? que me voulez-vous dire ?   15
Pour qui me prenez-vous ?

VALÈRE. Pour ce que vous êtes, pour un grand médecin.

SGANARELLE. Médecin vous-même : je ne le suis point,
et ne l'ai jamais été.

VALÈRE, *bas.* Voilà sa folie qui le tient. [*Haut.*] Monsieur, 20
ne veuillez point nier les choses davantage ; et n'en
venons point, s'il vous plaît, à de fâcheuses extré-
mités.

SGANARELLE. A quoi donc ?

VALÈRE. A de certaines choses dont nous serions marris. 25

SGANARELLE. Parbleu ! venez-en à tout ce qu'il vous
plaira : je ne suis point médecin, et ne sais ce que vous
me voulez dire.

VALÈRE, *bas.* Je vois bien qu'il faut se servir du remède.
[*Haut.*] Monsieur, encore un coup, je vous prie   30
d'avouer ce que vous êtes.

LUCAS. Et testigué ! ne lantiponez point davantage, et
confessez à la franquette que v'estes médecin.

SGANARELLE. J'enrage.

VALÈRE. A quoi bon nier ce qu'on sait ?   35

LUCAS. Pourquoi toutes ces fraimes-là ? à quoi est-ce
    que ça vous sart ?

SGANARELLE. Messieurs, en un mot autant qu'en deux
    mille, je vous dis que je ne suis point médecin.

VALÈRE. Vous n'êtes point médecin ?   5

SGANARELLE. Non.

LUCAS. V'n'estes pas médecin ?

SGANARELLE. Non, vous dis-je.

VALÈRE. Puisque vous le voulez, il faut s'y résoudre.
    [*Ils prennent un bâton, et le frappent.*]   10

SGANARELLE. Ah ! ah ! ah ! Messieurs, je suis tout ce
    qu'il vous plaira.

VALÈRE. Pourquoi, Monsieur, nous obligez-vous à cette
    violence ?

LUCAS. A quoi bon nous bailler la peine de vous battre ? 15

VALÈRE. Je vous assure que j'en ai tous les regrets du
    monde.

LUCAS. Par ma figué ! j'en sis fâché, franchement.

SGANARELLE. Que diable est ceci, Messieurs ? De grâce,
    est-ce pour rire, ou si tous deux vous extravaguez, 20
    de vouloir que je sois médecin ?

VALÈRE. Quoi ? vous ne vous rendez pas encore, et vous
    défendez d'être médecin ?

SGANARELLE. Diable emporte si je le suis !

LUCAS. Il n'est pas vrai qu'ous sayez médecin ?   25

SGANARELLE. Non, la peste m'étouffe ! [*Là ils recommencent
    de le battre.*] Ah! ah! Eh bien, Messieurs, oui, puisque
    vous le voulez, je suis médecin, je suis médecin ;
    apothicaire encore, si vous le trouvez bon. J'aime
    mieux consentir à tout que de me faire assommer. 30

VALÈRE. Ah ! voilà qui va bien, Monsieur : je suis ravi
    de vous voir raisonnable.

LUCAS. Vous me boutez la joie au cœur, quand je vous
    vois parler comme ça.

VALÈRE. Je vous demande pardon de toute mon âme. 35

LE MÉDECIN MALGRÉ LUY

SGANARELLE

Eh bien, Messieurs, oui, puisque vous le voulez, je suis médecin, je suis médecin.

Lucas. Je vous demandons excuse de la libarté que
    j'avons prise.

Sganarelle, *à part*. Ouais! serait-ce bien moi qui me
    tromperais, et serais-je devenu médecin, sans m'en
    être aperçu ?   5

Valère. Monsieur, vous ne vous repentirez pas de nous
    montrer ce que vous êtes ; et vous verrez assuré-
    ment que vous en serez satisfait.

Sganarelle. Mais, Messieurs, dites-moi, ne vous
    trompez-vous point vous-mêmes ? Est-il bien assuré 10
    que je sois médecin ?

Lucas. Oui, par ma figué !

Sganarelle. Tout de bon ?

Valère. Sans doute.

Sganarelle. Diable emporte si je le savais !   15

Valère. Comment ? vous êtes le plus habile médecin
    du monde.

Sganarelle. Ah ! ah !

Lucas. Un médecin qui a gari je ne sais combien de
    maladies.   20

Sganarelle. Tudieu !

Valère. Une femme était tenue pour morte il y avait
    six heures ; elle était prête à ensevelir, lorsque, avec
    une goutte de quelque chose, vous la fîtes revenir et
    marcher d'abord par la chambre.   25

Sganarelle. Peste !

Lucas. Un petit enfant de douze ans se laissit choir du
    haut d'un clocher, de quoi il eut la tête, les jambes
    et les bras cassés ; et vous, avec je ne sais quel
    onguent, vous fîtes qu'aussitôt il se relevit sur ses   30
    pieds, et s'en fut jouer à la fossette.

Sganarelle. Diantre !

Valère. Enfin, Monsieur, vous aurez contentement avec
    nous ; et vous gagnerez ce que vous voudrez, en vous
    laissant conduire où nous prétendons vous mener.   35

SGANARELLE. Je gagnerai ce que je voudrai ?

VALÈRE. Oui.

SGANARELLE. Ah ! je suis médecin, sans contredit : je
     l'avais oublié ; mais je m'en ressouviens.   De quoi
     est-il question ?   Où faut-il se transporter ?   5

VALÈRE. Nous vous conduirons.   Il est question d'aller
     voir une fille qui a perdu la parole.

SGANARELLE. Ma foi ! je ne l'ai pas trouvée.

VALÈRE. Il aime à rire.   Allons, Monsieur.

SGANARELLE. Sans une robe de médecin ?   10

VALÈRE. Nous en prendrons une.

SGANARELLE, *présentant sa bouteille à Valère.* Tenez cela,
     vous : voilà où je mets mes juleps.   [*Puis se tournant
     vers Lucas en crachant.*]   Vous, marchez là-dessus,
     par ordonnance du médecin.   15

LUCAS. Palsanguenne ! velà un médecin qui me plaît ;
     je pense qu'il réussira, car il est bouffon.

ACTE II

SCÈNE PREMIÈRE

Géronte, Valère, Lucas, Jacqueline

VALÈRE. Oui, Monsieur, je crois que vous serez satisfait ;
et nous vous avons amené le plus grand médecin
du monde.

LUCAS. Oh ! morguenne ! il faut tirer l'échelle après
ceti-là, et tous les autres ne sont pas daignes de li   5
déchausser ses souillez.

VALÈRE. C'est un homme qui a fait des cures merveilleuses.

LUCAS. Qui a gari des gens qui estiants morts.

VALÈRE. Il est un peu capricieux, comme je vous ai dit ;
et parfois il a des moments où son esprit s'échappe   10
et ne paraît pas ce qu'il est.

LUCAS. Oui, il aime à bouffonner ; et l'an dirait parfois,
ne v's en déplaise, qu'il a quelque petit coup de
hache à la tête.

VALÈRE. Mais, dans le fond, il est toute science, et bien   15
souvent il dit des choses tout à fait relevées.

LUCAS. Quand il s'y boute, il parle tout fin drait comme
s'il lisait dans un livre.

VALÈRE. Sa réputation s'est déjà répandue ici, et tout le
monde vient à lui.   20

GÉRONTE. Je meurs d'envie de le voir ; faites-le-moi
vite venir.

VALÈRE. Je le vais querir.

JACQUELINE. Par ma fi ! Monsieur, ceti-ci fera justement
ce qu'ant fait les autres. Je pense que ce sera queussi   25
queumi ; et la meilleure médeçaine que l'an pourrait
bailler à votre fille, ce serait, selon moi, un biau et
bon mari, pour qui elle eût de l'amiquié.

GÉRONTE. Ouais ! Nourrice, ma mie, vous vous mêlez
de bien des choses.

LUCAS. Taisez-vous, notre ménagère Jaquelaine : ce
n'est pas à vous à bouter là votre nez.

JACQUELINE. Je vous dis et vous douze que tous ces méde-   5
cins n'y feront rian que de l'iau claire ; que votre
fille a besoin d'autre chose que de ribarbe et de sené,
et qu'un mari est un emplâtre qui garit tous les maux
des filles.

GÉRONTE. Est-elle en état maintenant qu'on s'en voulût   10
charger, avec l'infirmité qu'elle a ? Et lorsque j'ai
été dans le dessein de la marier, ne s'est-elle pas
opposée à mes volontés ?

JACQUELINE. Je le crois bian : vous li vouilliez bailler cun
homme qu'alle n'aime point. Que ne preniais-vous   15
ce Monsieur Liandre, qui li touchait au cœur ? Alle
aurait été fort obéissante ; et je m'en vas gager qu'il
la prendrait, li, comme alle est, si vous la li vouillais
donner.

GÉRONTE. Ce Léandre n'est pas ce qu'il lui faut : il n'a   20
pas du bien comme l'autre.

JACQUELINE. Il a un oncle qui est si riche, dont il est
hériquié.

GÉRONTE. Tous ces biens à venir me semblent autant de
chansons. Il n'est rien tel que ce qu'on tient ;   25
et l'on court grand risque de s'abuser, lorsque l'on
compte sur le bien qu'un autre vous garde. La mort
n'a pas toujours les oreilles ouvertes aux vœux et
aux prières de Messieurs les héritiers ; et l'on a le
temps d'avoir les dents longues, lorsqu'on attend,   30
pour vivre, le trépas de quelqu'un.

JACQUELINE. Enfin j'ai toujours ouï dire qu'en mariage,
comme ailleurs, contentement passe richesse. Les
pères et les mères ant cette maudite coutume de demander toujours : ' Qu'a-t-il ? ' et : ' Qu'a-t-elle ? '   35

et le compère Biarre a marié sa fille Simonette au gros
Thomas pour un quarquié de vaigne qu'il avait davantage que le jeune Robin, où alle avait bouté son
amiquié ; et velà que la pauvre creiature en est
devenue jaune comme un coing, et n'a point profité   5
tout depuis ce temps-là.   C'est un bel exemple pour
vous, Monsieur.   On n'a que son plaisir en ce
monde ; et j'aimerais mieux bailler à ma fille un
bon mari qui li fût agriable, que toutes les rentes de
la Biausse.   10

GÉRONTE. Peste ! Madame la Nourrice, comme vous
dégoisez !   Taisez-vous, je vous prie : vous prenez
trop de soin, et vous échauffez votre lait.

LUCAS. [*En disant ceci, il frappe sur la poitrine à Géronte.*]
Morgué ! tais-toi, t'es cune impartinante.   Monsieur 15
n'a que faire de tes discours, et il sait ce qu'il a à
faire.   Mêle-toi de donner à teter à ton enfant,
sans tant faire la raisonneuse.   Monsieur est le
père de sa fille, et il est bon et sage pour voir ce qu'il
li faut.   20

GÉRONTE. Tout doux ! oh ! tout doux !

LUCAS. Monsieur, je veux un peu la mortifier, et li
apprendre le respect qu'alle vous doit.

GÉRONTE. Oui ; mais ces gestes ne sont pas nécessaires.

SCÈNE II

Valère, Sganarelle, Géronte, Lucas, Jacqueline

VALÈRE. Monsieur, préparez-vous.   Voici notre médecin 25
qui entre.

GÉRONTE. Monsieur, je suis ravi de vous voir chez moi,
et nous avons grand besoin de vous.

SGANARELLE, *en robe de médecin, avec un chapeau des plus pointus.* Hippocrate dit . . . que nous nous couvrions tous deux.

GÉRONTE. Hippocrate dit cela ?

SGANARELLE. Oui. 5

GÉRONTE. Dans quel chapitre, s'il vous plaît ?

SGANARELLE. Dans son chapitre des chapeaux.

GÉRONTE. Puisque Hippocrate le dit, il le faut faire.

SGANARELLE. Monsieur le Médecin, ayant appris les merveilleuses choses . . . 10

GÉRONTE. A qui parlez-vous, de grâce ?

SGANARELLE. A vous.

GÉRONTE. Je ne suis pas médecin.

SGANARELLE. Vous n'êtes pas médecin ?

GÉRONTE. Non, vraiment. 15

SGANARELLE. [*Il prend ici un bâton, et le bat comme on l'a battu.*] Tout de bon ?

GÉRONTE. Tout de bon. Ah ! ah ! ah !

SGANARELLE. Vous êtes médecin maintenant : je n'ai jamais eu d'autres licences. 20

GÉRONTE. Quel diable d'homme m'avez-vous là amené ?

VALÈRE. Je vous ai bien dit que c'était un médecin goguenard.

GÉRONTE. Oui ; mais je l'enverrais promener avec ses goguenarderies. 25

LUCAS. Ne prenez pas garde à ça, Monsieur : ce n'est que pour rire.

GÉRONTE. Cette raillerie ne me plaît pas.

SGANARELLE. Monsieur, je vous demande pardon de la liberté que j'ai prise. 30

GÉRONTE. Monsieur, je suis votre serviteur.

SGANARELLE. Je suis fâché . . .

GÉRONTE. Cela n'est rien.

SGANARELLE. Des coups de bâton . . .

GÉRONTE. Il n'y a pas de mal. 35

SGANARELLE. Que j'ai eu l'honneur de vous donner.

GÉRONTE. Ne parlons plus de cela.   Monsieur, j'ai une
fille qui est tombée dans une étrange maladie.

SGANARELLE. Je suis ravi, Monsieur, que votre fille ait
besoin de moi ; et je souhaiterais de tout mon cœur   5
que vous en eussiez besoin aussi, vous et toute votre
famille, pour vous témoigner l'envie que j'ai de
vous servir.

GÉRONTE. Je vous suis obligé de ces sentiments.

SGANARELLE. Je vous assure que c'est du meilleur de mon   10
âme que je vous parle.

GÉRONTE. C'est trop d'honneur que vous me faites.

SGANARELLE. Comment s'appelle votre fille ?

GÉRONTE. Lucinde.

SGANARELLE. Lucinde !   Ah ! beau nom à médicamenter !   15
Lucinde !

GÉRONTE. Je m'en vais voir un peu ce qu'elle fait.

SGANARELLE. Qui est cette grande femme-là ?

GÉRONTE. C'est la nourrice d'un petit enfant que j'ai.

SGANARELLE. Peste ! le joli meuble que voilà !   Ah !   20
Nourrice, charmante Nourrice, ma médecine est
la très humble esclave de votre nourricerie.   Tous
mes remèdes, toute ma science, toute ma capacité
est à votre service, et . . .

LUCAS. Avec votte parmission, Monsieur le Médecin,   25
laissez là ma femme, je vous prie.

SGANARELLE. Quoi ? est-elle votre femme ?

LUCAS. Oui.

SGANARELLE. [Il fait semblant d'embrasser Lucas, et se
tournant du côté de la Nourrice, il l'embrasse.]   Ah ! vrai-   30
ment, je ne savais pas cela, et je m'en réjouis pour
l'amour de l'un et de l'autre.

LUCAS, en le tirant. Tout doucement, s'il vous plaît.

SGANARELLE. Je vous assure que je suis ravi que vous
soyez unis ensemble.   Je la félicite d'avoir [il fait   35

*encore semblant d'embrasser Lucas, et passant dessous
ses bras, se jette au cou de sa femme*] un mari comme
vous ; et je vous félicite, vous, d'avoir une femme
si belle, si sage, et si bien faite comme elle est.

LUCAS, *en le tirant encore.* Eh ! testigué ! point tant de com-   5
pliment, je vous supplie.

SGANARELLE. Ne voulez-vous pas que je me réjouisse avec
vous d'un si bel assemblage ?

LUCAS. Avec moi, tant qu'il vous plaira ; mais avec ma
femme, trêve de sarimonie.   10

SGANARELLE. Je prends part également au bonheur de tous
deux ; et [*il continue le même jeu*] si je vous embrasse
pour vous en témoigner ma joie, je l'embrasse de
même pour lui en témoigner aussi.

LUCAS, *en le tirant derechef.* Ah ! vartigué, Monsieur le   15
Médecin, que de lantiponages.

SCÈNE III

Sganarelle, Géronte, Lucas, Jacqueline

GÉRONTE. Monsieur, voici tout à l'heure ma fille qu'on
va vous amener.

SGANARELLE. Je l'attends, Monsieur, avec toute la
médecine.   20

GÉRONTE. Où est-elle ?

SGANARELLE, *se touchant le front.* Là dedans.

GÉRONTE. Fort bien.

SGANARELLE. Mais comme je m'intéresse à toute votre
famille, il faut que j'essaye un peu le lait de votre   25
nourrice.

LUCAS, *le tirant, et lui faisant faire la pirouette.* Nanin, nanin ;
je n'avons que faire de ça.

SGANARELLE. As-tu bien la hardiesse de t'opposer au médecin ? Hors de là !

LUCAS. Je me moque de ça.

SGANARELLE, *en le regardant de travers.* Je te donnerai la fièvre.

JACQUELINE, *prenant Lucas par le bras, et lui faisant aussi faire la pirouette.* Ote-toi de là aussi ; est-ce que je ne sis pas assez grande pour me défendre moi-même, s'il me fait quelque chose qui ne soit pas à faire ?

LUCAS. Je ne veux pas qu'il te tâte, moi.

SGANARELLE. Fi, le vilain, qui est jaloux de sa femme !

GÉRONTE. Voici ma fille.

SCÈNE IV

Lucinde, Valère, Géronte, Lucas, Sganarelle, Jacqueline

SGANARELLE. Est-ce là la malade ?

GÉRONTE. Oui, je n'ai qu'elle de fille ; et j'aurais tous les regrets du monde si elle venait à mourir.

SGANARELLE. Qu'elle s'en garde bien ! il ne faut pas qu'elle meure sans l'ordonnance du médecin.

GÉRONTE. Allons, un siège.

SGANARELLE. Voilà une malade qui n'est pas tant dégoûtante, et je tiens qu'un homme bien sain s'en accommoderait assez.

GÉRONTE. Vous l'avez fait rire, Monsieur.

SGANARELLE. Tant mieux : lorsque le médecin fait rire le malade, c'est le meilleur signe du monde. Eh bien ! de quoi est-il question ? qu'avez-vous ? quel est le mal que vous sentez ?

LUCINDE *répond par signes, en portant sa main à sa bouche, à sa tête, et sous son menton.* Han, hi, hom, han.

SGANARELLE. Eh ! que dites-vous ?

LUCINDE *continue les mêmes gestes*. Han, hi, hom, han, han, hi, hom.

SGANARELLE. Quoi ?

LUCINDE. Han, hi, hom.   5

SGANARELLE, *la contrefaisant*. Han, hi, hom, han, ha : je ne vous entends point.   Quel diable de langage est-ce là ?

GÉRONTE. Monsieur, c'est là sa maladie.   Elle est devenue muette, sans que jusques ici on en ait pu   10 savoir la cause ; et c'est un accident qui a fait reculer son mariage.

SGANARELLE. Et pourquoi ?

GÉRONTE. Celui qu'elle doit épouser veut attendre sa guérison pour conclure les choses.   15

SGANARELLE. Et qui est ce sot-là qui ne veut pas que sa femme soit muette ?   Plût à Dieu que la mienne eût cette maladie ! je me garderais bien de la vouloir guérir.

GÉRONTE. Enfin, Monsieur, nous vous prions d'employer   20 tous vos soins pour la soulager de son mal.

SGANARELLE. Ah ! ne vous mettez pas en peine.   Dites-moi un peu, ce mal l'oppresse-t-il beaucoup ?

GÉRONTE. Oui, Monsieur.

SGANARELLE. Tant mieux.   Sent-elle de grandes douleurs ?   25

GÉRONTE. Fort grandes.

SGANARELLE. C'est fort bien fait.   [*Se tournant vers la malade.*]   Donnez-moi votre bras.   Voilà un pouls qui marque que votre fille est muette.

GÉRONTE. Eh oui, Monsieur, c'est là son mal ; vous l'avez   30 trouvé tout du premier coup.

SGANARELLE. Ah, ah !

JACQUELINE. Voyez comme il a deviné sa maladie !

SGANARELLE. Nous autres grands médecins, nous connaissons d'abord les choses.   Un ignorant aurait   35

SGANARELLE

Voilà un pouls qui marque que votre fille est muette.

été embarrassé, et vous eût été dire : ' C'est ceci,
c'est cela ' ; mais moi, je touche au but du premier
coup, et je vous apprends que votre fille est muette.

GÉRONTE. Oui ; mais je voudrais bien que vous me
puissiez dire d'où cela vient.   5

SGANARELLE. Il n'est rien de plus aisé : cela vient de ce
qu'elle a perdu la parole.

GÉRONTE. Fort bien ; mais la cause, s'il vous plaît, qui
fait qu'elle a perdu la parole ?

SGANARELLE. Tous nos meilleurs auteurs vous diront 10
que c'est l'empêchement de l'action de sa langue.

GÉRONTE. Mais encore, vos sentiments sur cet empêchement de l'action de sa langue ?

SGANARELLE. Aristote, là-dessus, dit . . . de fort belles
choses.   15

GÉRONTE. Je le crois.

SGANARELLE. Ah ! c'était un grand homme !

GÉRONTE. Sans doute.

SGANARELLE, *levant son bras depuis le coude.* Grand homme
tout à fait : un homme qui était plus grand que moi 20
de tout cela.   Pour revenir donc à notre raisonnement, je tiens que cet empêchement de l'action de sa
langue est causé par de certaines humeurs, qu'entre
nous autres savants nous appelons humeurs peccantes ; peccantes, c'est-à-dire . . . humeurs pec- 25
cantes ; d'autant que les vapeurs formées par les
exhalaisons des influences qui s'élèvent dans la
région des maladies, venant . . . pour ainsi dire . . .
à . . . Entendez-vous le latin ?

GÉRONTE. En aucune façon.   30

SGANARELLE, *se levant avec étonnement.* Vous n'entendez
point le latin !

GÉRONTE. Non.

SGANARELLE, *en faisant diverses plaisantes postures.   Cabricias   arci   thuram,   catalamus,   singulariter,   nominativo* 35

hæc Musa, 'la Muse,' *bonus, bona, bonum, Deus sanctus, estne oratio latinas? Etiam,* 'oui.' *Quare,* 'pourquoi?' *Quia substantivo et adjectivum concordat in generi, numerum, et casus.*

GÉRONTE. Ah ! que n'ai-je étudié ? 5

JACQUELINE. L'habile homme que velà !

LUCAS. Oui, ça est si biau, que je n'y entends goutte.

SGANARELLE. Or ces vapeurs dont je vous parle venant à passer, du côté gauche, où est le foie, au côté droit, 10 où est le cœur, il se trouve que le poumon, que nous appelons en latin *armyan,* ayant communication avec le cerveau, que nous nommons en grec *nasmus,* par le moyen de la veine cave, que nous appelons en hébreu *cubile,* rencontre en son chemin lesdites vapeurs, 15 qui remplissent les ventricules de l'omoplate ; et parce que lesdites vapeurs . . . comprenez bien ce raisonnement, je vous prie ; et parce que lesdites vapeurs ont une certaine malignité . . . Écoutez bien ceci, je vous conjure. 20

GÉRONTE. Oui.

SGANARELLE. Ont une certaine malignité, qui est causée . . . Soyez attentif, s'il vous plaît.

GÉRONTE. Je le suis.

SGANARELLE. Qui est causée par l'âcreté des humeurs 25 engendrées dans la concavité du diaphragme, il arrive que ces vapeurs . . . *Ossabandus, nequeys, nequer, potarinum, quipsa milus.* Voilà justement ce qui fait que votre fille est muette.

JACQUELINE. Ah ! que ça est bian dit, notte homme ! 30

LUCAS. Que n'ai-je la langue aussi bian pendue ?

GÉRONTE. On ne peut pas mieux raisonner, sans doute. Il n'y a qu'une seule chose qui m'a choqué : c'est l'endroit du foie et du cœur. Il me semble que vous les placez autrement qu'ils ne sont ; que 35

le cœur est du côté gauche, et le foie du côté
droit.

SGANARELLE. Oui, cela était autrefois ainsi ; mais nous
avons changé tout cela, et nous faisons maintenant la
médecine d'une méthode toute nouvelle.   5

GÉRONTE. C'est ce que je ne savais pas, et je vous demande
pardon de mon ignorance.

SGANARELLE. Il n'y a point de mal, et vous n'êtes pas
obligé d'être aussi habile que nous.

GÉRONTE. Assurément. Mais, Monsieur, que croyez- 10
vous qu'il faille faire à cette maladie ?

SGANARELLE. Ce que je crois qu'il faille faire ?

GÉRONTE. Oui.

SGANARELLE. Mon avis est qu'on la remette sur son lit,
et qu'on lui fasse prendre pour remède quantité de 15
pain trempé dans du vin.

GÉRONTE. Pourquoi cela, Monsieur ?

SGANARELLE. Parce qu'il y a dans le vin et le pain,
mêlés ensemble, une vertu sympathique qui fait parler.
Ne voyez-vous pas bien qu'on ne donne autre chose 20
aux perroquets, et qu'ils apprennent à parler en
mangeant de cela ?

GÉRONTE. Cela est vrai. Ah ! le grand homme ! Vite,
quantité de pain et de vin !

SGANARELLE. Je reviendrai voir, sur le soir, en quel état 25
elle sera. [*A la Nourrice.*] Doucement, vous.
Monsieur, voilà une nourrice à laquelle il faut que je
fasse quelques petits remèdes.

JACQUELINE. Qui ? moi ? Je me porte le mieux du
monde.   30

SGANARELLE. Tant pis, Nourrice, tant pis. Cette grande
santé est à craindre, et il ne sera pas mauvais de
vous faire quelque petite saignée amiable, de vous
donner quelque petit clystère dulcifiant.

GÉRONTE. Mais, Monsieur, voilà une mode que je ne 35

comprends point. Pourquoi s'aller faire saigner quand on n'a point de maladie ?

SGANARELLE. Il n'importe, la mode en est salutaire ; et comme on boit pour la soif à venir, il faut se faire aussi saigner pour la maladie à venir.   5

JACQUELINE, *en se retirant.* Ma fi ! je me moque de ça, et je ne veux point faire de mon corps une boutique d'apothicaire.

SGANARELLE. Vous êtes rétive aux remèdes ; mais nous saurons vous soumettre à la raison. [*Parlant à*   10 *Géronte.*] Je vous donne le bonjour.

GÉRONTE. Attendez un peu, s'il vous plaît.

SGANARELLE. Que voulez-vous faire ?

GÉRONTE. Vous donner de l'argent, Monsieur.

SGANARELLE, *tendant sa main derrière, par-dessous sa robe,*   15 *tandis que Géronte ouvre sa bourse.* Je n'en prendrai pas Monsieur.

GÉRONTE. Monsieur . . .

SGANARELLE. Point du tout.

GÉRONTE. Un petit moment.   20

SGANARELLE. En aucune façon.

GÉRONTE. De grâce !

SGANARELLE. Vous vous moquez.

GÉRONTE. Voilà qui est fait.

SGANARELLE. Je n'en ferai rien.   25

GÉRONTE. Eh !

SGANARELLE. Ce n'est pas l'argent qui me fait agir.

GÉRONTE. Je le crois.

SGANARELLE, *après avoir pris l'argent.* Cela est-il de poids ?

GÉRONTE. Oui, Monsieur.   30

SGANARELLE. Je ne suis pas un médecin mercenaire.

GÉRONTE. Je le sais bien.

SGANARELLE. L'intérêt ne me gouverne point.

GÉRONTE. Je n'ai pas cette pensée.

SCÈNE V

Sganarelle, Léandre

SGANARELLE, *regardant son argent*. Ma foi ! cela ne va pas
mal ; et pourvu que . . .

LÉANDRE. Monsieur, il y a longtemps que je vous attends,
et je viens implorer votre assistance.

SGANARELLE, *lui prenant le poignet*. Voilà un pouls qui est   5
fort mauvais.

LÉANDRE. Je ne suis point malade, Monsieur, et ce n'est
pas pour cela que je viens à vous.

SGANARELLE. Si vous n'êtes pas malade, que diable ne le
dites-vous donc ?   10

LÉANDRE. Non : pour vous dire la chose en deux mots,
je m'appelle Léandre, qui suis amoureux de Lucinde,
que vous venez de visiter ; et comme, par la mauvaise
humeur de son père, toute sorte d'accès m'est fermé
auprès d'elle, je me hasarde à vous prier de vouloir   15
servir mon amour, et de me donner lieu d'exécuter
un stratagème que j'ai trouvé, pour lui pouvoir dire
deux mots, d'où dépendent absolument mon bonheur
et ma vie.

SGANARELLE, *paraissant en colère*. Pour qui me prenez-   20
vous ? Comment oser vous adresser à moi pour
vous servir dans votre amour, et vouloir ravaler la
dignité de médecin à des emplois de cette nature ?

LÉANDRE. Monsieur, ne faites point de bruit.

SGANARELLE, *en le faisant reculer*. J'en veux faire, moi.   25
Vous êtes un impertinent.

LÉANDRE. Eh ! Monsieur, doucement.

SGANARELLE. Un malavisé.

LÉANDRE. De grâce !

SGANARELLE. Je vous apprendrai que je ne suis point   30
homme à cela, et que c'est une insolence extrême . . .

LÉANDRE, *tirant une bourse qu'il lui donne*. Monsieur . . .

SGANARELLE, *tenant la bourse.* De vouloir m'employer . . .
Je ne parle pas pour vous, car vous êtes honnête
homme, et je serais ravi de vous rendre service ;
mais il y a de certains impertinents au monde qui
viennent prendre les gens pour ce qu'ils ne sont   5
pas ; et je vous avoue que cela me met en colère.

LÉANDRE. Je vous demande pardon, Monsieur, de la
liberté que . . .

SGANARELLE. Vous vous moquez.   De quoi est-il question ?   10

LÉANDRE. Vous saurez donc, Monsieur, que cette maladie
que vous voulez guérir est une feinte maladie. Les
médecins ont raisonné là-dessus comme il faut ; et
ils n'ont pas manqué de dire que cela procédait, qui
du cerveau, qui des entrailles, qui de la rate, qui du 15
foie ; mais il est certain que l'amour en est la véritable cause, et que Lucinde n'a trouvé cette maladie
que pour se délivrer d'un mariage dont elle était
importunée.   Mais, de crainte qu'on ne nous voie
ensemble, retirons-nous d'ici, et je vous dirai en   20
marchant ce que je souhaite de vous.

SGANARELLE. Allons, Monsieur : vous m'avez donné
pour votre amour une tendresse qui n'est pas concevable ; et j'y perdrai toute ma médecine, ou la
malade crèvera, ou bien elle sera à vous.   25

ACTE III

SCÈNE PREMIÈRE

Sganarelle, Léandre

LÉANDRE. Il me semble que je ne suis pas mal ainsi pour
un apothicaire ; et comme le père ne m'a guère vu,
ce changement d'habit et de perruque est assez
capable, je crois, de me déguiser à ses yeux.

SGANARELLE. Sans doute.   5

LÉANDRE. Tout ce que je souhaiterais serait de savoir
cinq ou six grands mots de médecine, pour parer
mon discours et me donner l'air d'habile homme.

SGANARELLE. Allez, allez, tout cela n'est pas nécessaire :
il suffit de l'habit, et je n'en sais pas plus que vous.   10

LÉANDRE. Comment ?

SGANARELLE. Diable emporte si j'entends rien en médecine ! Vous êtes honnête homme, et je veux bien
me confier à vous, comme vous vous confiez à moi.

LÉANDRE. Quoi ? vous n'êtes pas effectivement . . .   15

SGANARELLE. Non, vous dis-je : ils m'ont fait médecin
malgré mes dents. Je ne m'étais jamais mêlé d'être
si savant que cela ; et toutes mes études n'ont été
que jusqu'en sixième. Je ne sais point sur quoi
cette imagination leur est venue ; mais quand j'ai 20
vu qu'à toute force ils voulaient que je fusse médecin,
je me suis résolu de l'être, aux dépens de qui il
appartiendra. Cependant vous ne sauriez croire
comment l'erreur s'est répandue, et de quelle façon
chacun est endiablé à me croire habile homme. On 25
me vient chercher de tous les côtés ; et si les choses
vont toujours de même, je suis d'avis de m'en tenir

toute ma vie à la médecine. Je trouve que c'est
le métier le meilleur de tous ; car, soit qu'on fasse bien
ou soit qu'on fasse mal, on est toujours payé de même
sorte : la méchante besogne ne retombe jamais sur
notre dos ; et nous taillons, comme il nous plaît, 5
sur l'étoffe où nous travaillons. Un cordonnier,
en faisant des souliers, ne saurait gâter un morceau
de cuir qu'il n'en paye les pots cassés ; mais ici l'on
peut gâter un homme sans qu'il en coûte rien. Les
bévues ne sont point pour nous ; et c'est toujours 10
la faute de celui qui meurt. Enfin le bon de cette
profession est qu'il y a parmi les morts une honnêteté,
une discrétion la plus grande du monde ; et jamais
on n'en voit se plaindre du médecin qui l'a tué.

LÉANDRE. Il est vrai que les morts sont fort honnêtes 15
gens sur cette matière.

SGANARELLE, *voyant des hommes qui viennent vers lui.* Voilà
des gens qui ont la mine de me venir consulter.
Allez toujours m'attendre auprès du logis de votre
maîtresse. 20

SCÈNE II

Thibaut, Perrin, Sganarelle

THIBAUT. Monsieur, je venons vous charcher, mon fils
Perrin et moi.

SGANARELLE. Qu'y a-t-il ?

THIBAUT. Sa pauvre mère, qui a nom Parette, est dans un
lit, malade, il y a six mois. 25

SGANARELLE, *tendant la main comme pour recevoir de l'argent.*
Que voulez-vous que j'y fasse ?

THIBAUT. Je voudrions, Monsieur, que vous nous baillis-
siez quelque petite drôlerie pour la garir.

SGANARELLE. Il faut voir de quoi est-ce qu'elle est malade.

THIBAUT. Alle est malade d'hypocrisie, Monsieur.

SGANARELLE. D'hypocrisie ?

THIBAUT. Oui, c'est-à-dire qu'alle est enflée par tout ; et
l'an dit que c'est quantité de sériosités qu'alle a dans le   5
corps, et que son foie, son ventre, ou sa rate, comme
vous voudrais l'appeler, au glieu de faire du sang,
ne fait plus que de l'iau.   Alle a, de deux jours l'un,
la fièvre quotiguenne, avec des lassitules et des
douleurs dans les mufles des jambes.   On entend   10
dans sa gorge des fleumes qui sont tout prêts à
l'étouffer ; et parfois il lui prend des syncoles et des
conversions, que je crayons qu'alle est passée.
J'avons dans notte village un apothicaire, révérence
parler, qui li a donné je ne sais combien d'histoires ;   15
et il m'en coûte plus d'eune douzaine de bons écus
en lavements, ne v's en déplaise, en apostumes
qu'on li a fait prendre, en infections de jacinthe, et en
portions cordales.   Mais tout ça, comme dit l'autre,
n'a été que de l'onguent miton mitaine.   Il velait   20
li bailler d'eune certaine drogue que l'on appelle du
vin amétile ; mais j'ai-s-eu peur, franchement, que
ça l'envoyît à *patres* ; et l'an dit que ces gros médecins tuont je ne sais combien de monde avec cette
invention-là.   25

SGANARELLE, *tendant toujours la main et la branlant, comme
pour signe qu'il demande de l'argent*. Venons au fait, mon
ami, venons au fait.

THIBAUT. Le fait est, Monsieur, que je venons vous prier
de nous dire ce qu'il faut que je fassions.   30

SGANARELLE. Je ne vous entends point du tout.

PERRIN. Monsieur, ma mère est malade ; et velà deux
écus que je vous apportons pour nous bailler queuque
remède.

SGANARELLE. Ah ! je vous entends, vous.   Voilà un   35

garçon qui parle clairement, qui s'explique comme il
faut.   Vous dites que votre mère est malade d'hydropisie, qu'elle est enflée par tout le corps, qu'elle a la
fièvre, avec des douleurs dans les jambes, et qu'il
lui prend parfois des syncopes et des convulsions,   5
c'est-à-dire des évanouissements ?

PERRIN. Eh ! oui, Monsieur, c'est justement ça.

SGANARELLE. J'ai compris d'abord vos paroles.   Vous
avez un père qui ne sait ce qu'il dit.   Maintenant
vous me demandez un remède ?   10

PERRIN. Oui, Monsieur.

SGANARELLE. Un remède pour la guérir ?

PERRIN. C'est comme je l'entendons.

SGANARELLE. Tenez, voilà un morceau de fromage qu'il
faut que vous lui fassiez prendre.   15

PERRIN. Du fromage, Monsieur ?

SGANARELLE. Oui, c'est un fromage préparé, où il entre
de l'or, du corail, et des perles, et quantité d'autres
choses précieuses.

PERRIN. Monsieur, je vous sommes bien obligés ; et   20
j'allons li faire prendre ça tout à l'heure.

SGANARELLE. Allez.   Si elle meurt, ne manquez pas
de la faire enterrer du mieux que vous pourrez.

SCÈNE III

Jacqueline, Sganarelle, Lucas

SGANARELLE. Voici la belle Nourrice.   Ah ! Nourrice
de mon cœur, je suis ravi de cette rencontre, et   25
votre vue est la rhubarbe, la casse, et le séné qui
purgent toute la mélancolie de mon âme.

JACQUELINE. Par ma figué !   Monsieur le Médecin, ça
est trop bian dit pour moi, et je n'entends rien à tout
votte latin.   30

SGANARELLE. Devenez malade, Nourrice, je vous prie ; devenez malade, pour l'amour de moi : j'aurais toutes les joies du monde de vous guérir.

JACQUELINE. Je sis votte sarvante : j'aime bian mieux qu'an ne me guérisse pas.   5

SGANARELLE. Que je vous plains, belle Nourrice, d'avoir un mari jaloux et fâcheux comme celui que vous avez !

JACQUELINE. Que velez-vous, Monsieur ? c'est pour la pénitence de mes fautes ; et là où la chèvre est liée, 10 il faut bian qu'alle y broute.

SGANARELLE. Comment ? un rustre comme cela ! un homme qui vous observe toujours, et ne veut pas que personne vous parle !

JACQUELINE. Hélas ! vous n'avez rien vu encore, et ce n'est 15 qu'un petit échantillon de sa mauvaise humeur.

SGANARELLE. Est-il possible ? et qu'un homme ait l'âme assez basse pour maltraiter une personne comme vous ? Ah ! que j'en sais, belle Nourrice, et qui ne sont pas loin d'ici, qui se tiendraient heureux de 20 baiser seulement les petits bouts de vos petons ! Pourquoi faut-il qu'une personne si bien faite soit tombée en de telles mains, et qu'un franc animal, un brutal, un stupide, un sot . . . ? Pardonnez-moi, Nourrice, si je parle ainsi de votre mari.   25

JACQUELINE. Eh ! Monsieur, je sais bien qu'il mérite tous ces noms-là.

SGANARELLE. Oui, sans doute, Nourrice, il les mérite ; et il mériterait encore que vous lui missiez quelque chose sur la tête, pour le punir des soupçons qu'il a. 30

JACQUELINE. Il est bien vrai que si je n'avais devant les yeux que son intérêt, il pourrait m'obliger à queuque étrange chose.

SGANARELLE. Ma foi ! vous ne feriez pas mal de vous venger de lui avec quelqu'un. C'est un homme, 35

je vous le dis, qui mérite bien cela ; et si j'étais
assez heureux, belle Nourrice, pour être choisi
pour . . .

[*En cet endroit, tous deux apercevant Lucas qui était derrière
eux et entendait leur dialogue, chacun se retire de son côté, mais* 5
le Médecin d'une manière fort plaisante.]

SCÈNE IV

Géronte, Lucas

GÉRONTE. Holà ! Lucas, n'as-tu point vu ici notre
médecin ?

LUCAS. Et oui, de par tous les diantres, je l'ai vu, et ma
femme aussi.   10

GÉRONTE. Où est-ce donc qu'il peut être ?

LUCAS. Je ne sais ; mais je voudrais qu'il fût à tous les
guebles.

GÉRONTE. Va-t'en voir un peu ce que fait ma fille.

SCÈNE V

Sganarelle, Léandre, Géronte

GÉRONTE. Ah ! Monsieur, je demandais où vous étiez.   15

SGANARELLE. Je m'étais amusé dans votre cour à expulser
le superflu de la boisson. Comment se porte la
malade ?

GÉRONTE. Un peu plus mal depuis votre remède.

SGANARELLE. Tant mieux : c'est signe qu'il opère.   20

GÉRONTE. Oui ; mais, en opérant, je crains qu'il ne
l'étouffe.

Sganarelle. Ne vous mettez pas en peine : j'ai des
    remèdes qui se moquent de tout, et je l'attends
    à l'agonie.
Géronte. Qui est cet homme-là que vous amenez ?
Sganarelle, *faisant des signes avec la main que c'est un* 5
    apothicaire. C'est . . .
Géronte. Quoi ?
Sganarelle. Celui . . .
Géronte. Eh ?
Sganarelle. Qui . . .   10
Géronte. Je vous entends.
Sganarelle. Votre fille en aura besoin.

SCÈNE VI

Jacqueline, Lucinde, Géronte, Léandre, Sganarelle

Jacqueline. Monsieur, velà votre fille qui veut un peu
    marcher.
Sganarelle. Cela lui fera du bien. Allez-vous-en,   15
    Monsieur l'Apothicaire, tâter un peu son pouls, afin
    que je raisonne tantôt avec vous de sa maladie. [*En
    cet endroit, il tire Géronte à un bout du théâtre, et, lui
    passant un bras sur les épaules, lui rabat la main sous
    le menton, avec laquelle il le fait retourner vers lui, lorsqu'il* 20
    *veut regarder ce que sa fille et l'apothicaire font ensemble,
    lui tenant cependant le discours suivant pour l'amuser :*]
    Monsieur, c'est une grande et subtile question entre
    les docteurs de savoir si les femmes sont plus faciles
    à guérir que les hommes.   Je vous prie d'écouter 25
    ceci, s'il vous plaît.   Les uns disent que non, les
    autres disent que oui ; et moi je dis que oui et non :
    d'autant que l'incongruité des humeurs opaques
    qui se rencontrent au tempérament naturel des

femmes étant cause que la partie brutale veut toujours
prendre empire sur la sensitive, on voit que l'inégalité
de leurs opinions dépend du mouvement oblique
du cercle de la lune ; et comme le soleil, qui darde
ses rayons sur la concavité de la terre, trouve . . .   5

LUCINDE. Non, je ne suis point du tout capable de changer
de sentiment.

GÉRONTE. Voilà ma fille qui parle ! O grande vertu du
remède ! O admirable médecin ! Que je vous
suis obligé, Monsieur, de cette guérison merveilleuse ! 10
et que puis-je faire pour vous après un tel service ?

SGANARELLE, *se promenant sur le théâtre, et s'essuyant le
front*. Voilà une maladie qui m'a bien donné de la
peine !

LUCINDE. Oui, mon père, j'ai recouvré la parole ; mais 15
je l'ai recouvrée pour vous dire que je n'aurai jamais
d'autre époux que Léandre, et que c'est inutilement
que vous voulez me donner Horace.

GÉRONTE. Mais . . .

LUCINDE. Rien n'est capable d'ébranler la résolution que 20
j'ai prise.

GÉRONTE. Quoi . . . ?

LUCINDE. Vous m'opposerez en vain de belles raisons.

GÉRONTE. Si . . .

LUCINDE. Tous vos discours ne serviront de rien.   25

GÉRONTE. Je . . .

LUCINDE. C'est une chose où je suis déterminée.

GÉRONTE. Mais . . .

LUCINDE. Il n'est puissance paternelle qui me puisse
obliger à me marier malgré moi.   30

GÉRONTE. J'ai . . .

LUCINDE. Vous avez beau faire tous vos efforts.

GÉRONTE. Il . . .

LUCINDE. Mon cœur ne saurait se soumettre à cette
tyrannie.   35

GÉRONTE. Là . . .

LUCINDE. Et je me jetterai plutôt dans un couvent que
d'épouser un homme que je n'aime point.

GÉRONTE. Mais . . .

LUCINDE, *parlant d'un ton de voix à étourdir*. Non. En 5
aucune façon. Point d'affaire. Vous perdez le
temps. Je n'en ferai rien. Cela est résolu.

GÉRONTE. Ah ! quelle impétuosité de paroles ! Il n'y
a pas moyen d'y résister. Monsieur, je vous prie
de la faire redevenir muette. 10

SGANARELLE. C'est une chose qui m'est impossible.
Tout ce que je puis faire pour votre service, est de
vous rendre sourd, si vous voulez.

GÉRONTE. Je vous remercie. Penses-tu donc . . .

LUCINDE. Non. Toutes vos raisons ne gagneront rien 15
sur mon âme.

GÉRONTE. Tu épouseras Horace, dès ce soir.

LUCINDE. J'épouserai plutôt la mort.

SGANARELLE. Mon Dieu ! arrêtez-vous, laissez-moi médicamenter cette affaire. C'est une maladie qui la 20
tient, et je sais le remède qu'il y faut apporter.

GÉRONTE. Serait-il possible, Monsieur, que vous puissiez
aussi guérir cette maladie d'esprit ?

SGANARELLE. Oui : laissez-moi faire, j'ai des remèdes
pour tout, et notre apothicaire nous servira pour 25
cette cure. [*Il appelle l'Apothicaire et lui parle.*] Un
mot. Vous voyez que l'ardeur qu'elle a pour ce
Léandre est tout à fait contraire aux volontés du père,
qu'il n'y a point de temps à perdre, que les humeurs
sont fort aigries, et qu'il est nécessaire de trouver 30
promptement un remède à ce mal, qui pourrait empirer par le retardement. Pour moi, je n'y en vois
qu'un seul, qui est une prise de fuite purgative,
que vous mêlerez comme il faut avec deux drachmes
de matrimonium en pilules. Peut-être fera-t-elle 35

quelque difficulté à prendre ce remède ; mais, comme
vous êtes habile homme dans votre métier, c'est à
vous de l'y résoudre, et de lui faire avaler la chose
du mieux que vous pourrez.   Allez-vous-en lui faire
un petit tour de jardin, afin de préparer les humeurs,   5
tandis que j'entretiendrai ici son père ; mais surtout
ne perdez point de temps : au remède, vite, au
remède spécifique !

SCÈNE VII

Géronte, Sganarelle

GÉRONTE. Quelles drogues, Monsieur, sont celles que
    vous venez de dire ? il me semble que je ne les ai   10
    jamais ouï nommer.

SGANARELLE. Ce sont drogues dont on se sert dans les
    nécessités urgentes.

GÉRONTE. Avez-vous jamais vu une insolence pareille à
    la sienne ?   15

SGANARELLE. Les filles sont quelquefois un peu têtues.

GÉRONTE. Vous ne sauriez croire comme elle est affolée
    de ce Léandre.

SGANARELLE. La chaleur du sang fait cela dans les jeunes
    esprits.   20

GÉRONTE. Pour moi, dès que j'ai eu découvert la violence
    de cet amour, j'ai su tenir toujours ma fille ren-
    fermée.

SGANARELLE. Vous avez fait sagement.

GÉRONTE. Et j'ai bien empêché qu'ils n'aient eu com-   25
    munication ensemble.

SGANARELLE. Fort bien.

GÉRONTE. Il serait arrivé quelque folie, si j'avais souffert
    qu'ils se fussent vus.

   7*

SGANARELLE. Sans doute.

GÉRONTE. Et je crois qu'elle aurait été fille à s'en aller
    avec lui.

SGANARELLE. C'est prudemment raisonné.

GÉRONTE. On m'avertit qu'il fait tous ses efforts pour   5
    lui parler.

SGANARELLE. Quel drôle.

GÉRONTE. Mais il perdra son temps.

SGANARELLE. Ah ! ah !

GÉRONTE. Et j'empêcherai bien qu'il ne la voie.   10

SGANARELLE. Il n'a pas affaire à un sot, et vous savez
    des rubriques qu'il ne sait pas.   Plus fin que vous
    n'est pas bête.

SCÈNE VIII

Lucas, Géronte, Sganarelle

LUCAS. Ah ! palsanguenne, Monsieur, voici bian du
    tintamarre :   votte fille s'en est enfuie avec son   15
    Liandre.   C'était lui qui était l'Apothicaire ; et velà
    Monsieur le Médecin qui a fait cette belle opération-
    là.

GÉRONTE. Comment ? m'assassiner de la façon !   Allons,
    un commissaire ! et qu'on empêche qu'il ne sorte.   20
    Ah, traître ! je vous ferai punir par la justice.

LUCAS. Ah ! par ma fi ! Monsieur le Médecin, vous
    serez pendu : ne bougez de là seulement.

SCÈNE IX

Martine, Sganarelle, Lucas

MARTINE. Ah ! mon Dieu ! que j'ai eu de peine à trouver
    ce logis !   Dites-moi un peu des nouvelles du médecin   25
    que je vous ai donné.

LUCAS. Le velà, qui va être pendu.

MARTINE. Quoi ? mon mari pendu !   Hélas ! et qu'a-t-il
fait pour cela ?

LUCAS. Il a fait enlever la fille de notte maître.

MARTINE. Hélas ! mon cher mari, est-il bien vrai qu'on   5
te va pendre ?

SGANARELLE. Tu vois.   Ah !

MARTINE. Faut-il que tu te laisses mourir en présence
de tant de gens ?

SGANARELLE. Que veux-tu que j'y fasse ?   10

MARTINE. Encore si tu avais achevé de couper notre bois,
je prendrais quelque consolation.

SGANARELLE. Retire-toi de là, tu me fends le cœur.

MARTINE. Non, je veux demeurer pour t'encourager à
la mort, et je ne te quitterai point que je ne t'aie vu   15
pendu.

SGANARELLE. Ah !

SCÈNE X

Géronte, Sganarelle, Martine, Lucas

GÉRONTE. Le Commissaire viendra bientôt, et l'on s'en
va vous mettre en lieu où l'on me répondra de vous.

SGANARELLE, *le chapeau à la main.* Hélas ! cela ne se peut-il 20
point changer en quelques coups de bâton ?

GÉRONTE. Non, non : la justice en ordonnera . . .
Mais que vois-je ?

SCÈNE XI ET DERNIÈRE

*Léandre, Lucinde, Jacqueline, Lucas, Géronte, Sganarelle,
Martine*

LÉANDRE. Monsieur, je viens faire paraître Léandre à
vos yeux, et remettre Lucinde en votre pouvoir.   25

Nous avons eu dessein de prendre la fuite nous deux, et de nous aller marier ensemble ; mais cette entreprise a fait place à un procédé plus honnête. Je ne prétends point vous voler votre fille, et ce n'est que de votre main que je veux la recevoir. Ce que je vous 5 dirai, Monsieur, c'est que je viens tout à l'heure de recevoir des lettres par où j'apprends que mon oncle est mort, et que je suis héritier de tous ses biens.

GÉRONTE. Monsieur, votre vertu m'est tout à fait considérable, et je vous donne ma fille avec la plus grande 10 joie du monde.

SGANARELLE. La médecine l'a échappé belle !

MARTINE. Puisque tu ne seras point pendu, rends-moi grâce d'être médecin ; car c'est moi qui t'ai procuré cet honneur. 15

SGANARELLE. Oui, c'est toi qui m'as procuré je ne sais combien de coups de bâton.

LÉANDRE. L'effet en est trop beau, pour en garder du ressentiment.

SGANARELLE. Soit : je te pardonne ces coups de bâton 20 en faveur de la dignité où tu m'as élevé ; mais préparetoi désormais à vivre dans un grand respect avec un homme de ma conséquence, et songe que la colère d'un médecin est plus à craindre qu'on ne peut croire.

NOTES

(*The figures refer to the page and line*)

1. 4. **domestique:** in the seventeenth century this word had a much wider meaning than nowadays. It applied to any member of the royal household, the household of a noble, or a rich bourgeois. It therefore could apply to people of high social standing, as *e.g.* "La Rochepot, mon cousin germain et mon ami intime était *domestique* de feu M. le duc d'Orléans." (*Mémoires* du Cardinal de Retz, Année 1639.)

ACT I

SCENE I

2. 5. **fredaines:** ' pranks.'

7. **Aristote:** Aristotle, (384–322 B.C.) famous Greek philosopher. His dramatic theories, somewhat misinterpreted, gave birth to the rules of French classical drama.

9. **benêt:** ' fool,' from Latin *benedictum*.

14. **rudiment:** according to the first edition of *Le Dictionnaire de l'Académie, un rudiment* is " un petit livre qui contient les premiers principes de la langue latine."

16 **Peste du fou fieffé !:** ' A plague on the arrant fool ! '

17. **Peste de la carogne !:** ' Plague take the wench ! '

20. **bec cornu:** a corruption of the Italian *becco cornuto* (*bouc cornu*), a ' cuckold.'

3. 1. **j'eus lieu:** ' I had good grounds.'

2. **morbleu:** a form of oath derived from *mordieu*. Cf. English ' 'sdeath ! '

5. **Baste:** *suffit*. The word is still used in Southern France. Cf. Italian *basta, bastare*, Spanish *bastar*.

6. **nous savons ce que nous savons:** in more normal French one would say, ' *Je sais ce que je dis.*'

3. 14. **ménage:** in modern French, ' household ' ; but in
the seventeenth century it was used much more
in the meaning of ' economy.' *Vivre de ménage* :
' to live economically.'

22. **pour ne me point ennuyer:** in modern French, *pour
ne point m'ennuyer.*

26. **sur les bras:** ' on my hands.'

30. **tout le monde soit saoul:** ' every one to have their
fill.'

4. 10. **à votre ordinaire:** ' as usual.' Note how Molière
raises laughter by the contrast of the sentimental
approach followed by threat.

13. **vous avez envie de me dérober quelque chose:** a
common expression. The English equivalent of
this would be : ' If you don't look out, you'll get
what you're asking for.'

23. **je vous étrillerai:** ' I'll beat you.'

25. **pendard:** (*obsolete*) ' gallows-bird,' from verb *pendre.*
bélître: (*obsolete*) ' good-for-nothing.'
maraud: (*obsolete*) ' rogue.'

SCENE II

5. 14. **qu'avez-vous à voir là-dessus:** in modern French,
qu'avez-vous à voir là-dedans.

34. **je la veux battre:** in modern French, *je veux la
battre.*

6. 9. **vous ingérer des affaires:** in modern French,
vous ingérer dans les affaires.
Cicéron: Cicero (106–43 B.C.), Roman orator.

10. **entre l'arbre et le doigt il ne faut point mettre
l'écorce:** here Sganarelle misquotes the proverb,
on ne doit mettre le doigt entre l'écorce et le bois.

13. **touche là:** ' give me your hand on it.' This is still
used in the provinces.

33. **de prendre garde à cela:** ' to take any notice of that.'

SCENE IV

7. 12. **parguenne:** oath, corrupt form of *pardieu.*
j'avons . . . je pensons: Lucas, like Jacqueline and
the two peasants, Thibaut and Perrin, is com-

pletely uneducated and has no command of French grammar. This incorrect use is still frequently met in country districts.

7. 12. gueble: *diable.*

15. nourricier: '*mari d'une nourrice.*'

19. Horace: Lucinde's suitor, whom she does not want to marry.

8. 6. boutée: (*obsolete*) past participle of the verb *bouter.* Cf. late Anglo-Saxon *putian*; modern English ' to put,' The word is still used in Normandy.

7. pardu: *perdu.* Lucas, like most Norman peasants, pronounces wrongly the sound *er.* Later in the same scene, for example, we find *vart* for *vert*, and *paroquet* for *perroquet.*

perdre son latin: *ne rien comprendre à quelque chose.* The expression is still used in modern French.

20. soins: (seventeenth century) *soucis.*

22. où: in modern French, *en quoi.*

26. particulier: *spécial, extraordinaire.*

9. 2. jamais vous mieux adresser: in modern French, *jamais mieux vous adresser.*

10. simples: ' simples, medicinal herbs.'

13. quinteux: ' capricious.'

15. extravagante: ' extraordinary.'

31. que nous en usons: (seventeenth century) ' that is how we deal with the matter.'

34. Il est vrai: in modern French, *c'est vrai.*

10. 4. fraise: ' ruff.'

8. si habile: in modern French, *aussi habile.*

19. comme si de rien n'eût été: ' as if nothing had happened.'

21. d'or potable: according to Littré *l'or potable* is ' un liquide huileux et alcoolique qu'on obtient en versant une huile volatile dans une dissolution de chlorure d'or, et qu'on regardait autrefois comme un cordial et un élixir de santé.'

29. la fossette: game of marbles. *Jouer à la fossette*, ' to play at cherry pits.'

31. la médecine universelle: ' a thorough knowledge of medicine.'

34. testigué: a provincial oath

velà: *voilà.*

11. 5. **morguenne:** another oath, a corrupt form of *mordieu.*

s'il ne tient qu'à battre, la vache est à nous: ' if it is only a question of beating him, it's as good as done.'

SCENE V

16. **voilà du bois qui est salé comme tous les diables:** ' this wood is salty as the devil.'

18. **Qu'ils sont doux:** for music see page 12.

13. 3. **bouté:** see note to page 8, line 6.

7. **bouchon:** (*obsolete*) a term of endearment, ' pet.'

12. **tout craché:** this metaphor is still used in modern French. Cf. *c'est son père tout craché*, ' he is the dead spit of his father.'

défiguré: Lucas means *décrit.*

23. **qui se nomme:** the construction should be, *qui vous nommez.* A few lines later, Sganarelle will repeat this *qui se nomme*, when he should say, *qui me nomme.*

15. 6. **boutez dessus:** ' put your hat on.'

16. **qu'il n'y a rien à dire:** *qu'il n'y a rien à redire.* ' So that there's nothing to be said against them.'

18. **sols:** *sous.* The currency system of Molière's time was the following :

12 *deniers tournois* = 1 *sou*
20 *sous* = 1 *livre* = 1 *franc.*

It is interesting to note that the same proportions (12, 20) existed as in English currency.

33. **s'il s'en fallait:** *s'il manquait.*

un double: *un double denier.*

16. 2. **surfaire:** ' to overcharge.'

13. **je savons çen que je savons:** *je sais ce que je sais;* cf. note to page 7, line 12.

25. **marris:** (*obsolete*) *fâchés.*

32. **lantiponer:** ' to dilly-dally.'

33. **à la franquette:** ' without ceremony.'

17. 1. **fraimes:** *frimes,* ' pretence.'

15. **bailler:** (*obsolete*) *donner.*

18. **par ma figué:** a corrupt form of *par ma foi.*

17. 18. **j'en sis:** *j'en suis.*
      20. **extravaguez:** ' rave.'
      24. **Diable emporte:** *que le diable m'emporte.*
      25. **qu'ous sayez:** *que vous soyez.*
      26. **la peste m'étouffe:** ' plague take me.'
19. 12. **par ma figué:** see note to page 17, line 18.
      19. **gari:** *guéri.*
      21. **tudieu:** another oath.
      25. **d'abord:** (seventeenth century) *tout de suite.*
      26. **peste!:** ' bless my soul ! '
      27. **se laissit . . . se relevit:** *se laissa . . . se releva.*
        choir: *tomber.* The noun *chute* derives from this infinitive.
20. 13. **juleps:** (*obsolete*) ' medicine.'
      16. **palsanguenne!:** an oath, derived from *par le sang de Dieu* ; ' 'sblood.'

ACT II

SCENE I

21.   4. **tirer l'échelle:** the normal expression is, *après lui il faut tirer l'échelle,* ' you'll not find better than him.'
       5. **ceti-là:** *celui-là*—this derives from the old form *cestuy,* which was used until the sixteenth century.
        daignes: *dignes.*
       6. **li déchausser ses souillez:** *lui retirer ses souliers.*
       8. **gari:** *guéri.*
        estiants: *étaient.*
      12. **l'an:** *l'on*—Lucas, like Jacqueline, cannot pronounce the sound ɔ̃. A few lines later Jacqueline says *ant* for *ont.*
      13. **petit coup de hache:** ' he is a bit cracked.' The normal expression is *avoir un petit coup de marteau. Le coup de hache* is, however, more appropriate to the woodcutter.
      16. **relevées:** ' remarkable.'
      17. **drait:** *droit.* The Norman peasant, if you ask him the way, will still tell you *tout drait.*
      23. **querir:** (*obsolete*) *chercher,* from Latin *quærere.*
      24. **par ma fi:** *par ma foi.*

21. 24. **ceti-ci:** *celui-ci.* See note to page 21, line 5.

25. **queussi queumi:** (*obsolete*) *tout à fait de même.*
Littré in his *Dictionnaire* states that this expression
probably gave birth to old English ' ka me, ka
thee ' = *quel moi, quel toi,* ' You help me and I'll
help you.' But the *Oxford English Dictionary*
considers that ' ka me, ka thee ' is of obscure
origin.

27. **biau:** *beau.*

28. **amiquié:** *amitié.*

22. 1. **ouais!:** ' what ! '

3. **notre ménagère:** Jacqueline is Lucas' wife. Note
the use of *notre* for *ma,* still current in country
districts in Normandy.

5. **je vous dis et vous douze:** this is a pun on *dix et
douze,* which Jacqueline uses to emphasize her
point.

6. **rian:** *rien.*
   iau: *eau.*

7. **ribarbe:** *rhubarbe.*
   sené: ' senna.'

10. **qu'on s'en voulût charger:** *que quelqu'un veuille
la prendre à charge.*

14. **bian:** *bien.*
    **vous li vouilliez bailler cun homme qu'alle n'aime
point:** *vous ne vouliez lui donner qu'un homme
qu'elle n'aime point.*

15. **preniais:** *preniez.*

17. **je m'en vas gager:** *je m'en vais parier.*

18. **si vous la li vouillais donner:** *si vous la lui vouliez
donner.*

23. **hériquié:** *héritier.*

24. **autant de chansons:** ' so much hot air.'

30. **avoir les dents longues:** ' to be hungry,' a very
old expression, already found in the fourteenth
century.

23. 2. **quarquié de vaigne:** *quartier de vigne,* ' a small
vineyard.'
   qu'il avait davantage: ' which he owned in excess
of . . .'

4. **creiature:** *créature.*

5. **jaune comme un coing:** the English equivalent of
the period would be, ' yellow as a guinea.'

23. 5. **profité:** ' thrived.'

     9. **agriable:** *agréable.*

   10. **la Biausse:** *la Beauce,* a rich French province.

   11. **comme vous dégoisez:** ' how your tongue wags.'

   15. **t'es cune impartinante:** *tu n'es qu'une impertinente.*
      Monsieur n'a que faire de tes discours: ' Master
      can't listen to your talking.'

SCENE II

24. 1. **avec un chapeau des plus pointus:** doctors used to
     wear a long black gown and a pointed hat.

    2. **Hippocrate:** (fifth century B.C.) the greatest doctor
     of antiquity, who was held in high esteem by the
     medical profession at the time of Molière. He
     was the first to attribute human ailments to differ-
     ent ' humours.'

   20. **licences:** ' degrees ' ; this is still the normal term
     in France for a University degree—*e.g.,* *Licence-
     ès-lettres* = ' B.A.' ; *Licence en droit* = ' LL.B.' ;
     cf. English ' Licentiate of the Royal College of
     Physicians.'

   26. **ne prenez pas garde à ça:** ' don't take any notice of
     that.'

25. 20. **le joli meuble que voilà:** ' that's a nice bit of goods.'

26. 10. **sarimonie:** *cérémonie.*

   15. **vartigué:** an oath, corrupt form of *Vertu Dieu* !

   16. **lantiponages:** ' trifling.'

SCENE IV

27. 17. **sans l'ordonnance du médecin:** cf. *Le Médecin
     volant,* Scene IV :
     ' *Gorgibus* : Monsieur le Médecin, j'ai grand peur
       que ma fille ne meure.
     Sganarelle : Ah ! qu'elle s'en garde bien ! il ne
       faut pas qu'elle s'amuse à se laisser mourir
       sans l'ordonnance du médecin ! '

   19. **tant:** *si.*

28. 10. **jusques ici:** in modern French, *jusqu'ici.*

   35. **d'abord:** in modern French, *tout d'abord.*

30. 1. **vous eût été dire:** note the use of the Subjunctive
for the Conditional, still permissible in modern
French.

   14. **Aristote:** see note to page 2, line 7.

   23. **humeurs:** ' humours.'   See note to page 24, line 2.

   25. **peccantes:** ' peccant, unhealthy.'

   34. **cabricias, etc.:** Sganarelle is remembering bits of
his *rudiment.*

31. 12. **armyan, etc.:** Sganarelle now happily creates
' learned ' words and a new anatomy, impressively
filling the pauses between his imaginative descrip-
tions.

32. 14. **qu'on la remette:** *la* refers to Lucinde, though
grammatically to *la maladie.*

   15. **quantité:** in modern French the indefinite article
would be necessary.

   25. **sur le soir:** *dans la soirée.*

   33. **petite saignée amiable:** ' nice little blood-letting.'

   34. **clystère:** ' enema.'

33. 1. **pourquoi s'aller faire:** note obsolete construction
in modern French, *pourquoi aller se faire.*

   29. **cela est-il de poids ?:** ' is it full weight ? ' This
refers to the practice still met with in Molière's
time of chipping pieces from the gold and silver
coins, thus reducing their value.

SCENE V

35. 2. **je ne parle pas pour vous:** ' I'm not talking about
you.'

   12. **une feinte maladie:** in modern French, *une maladie
feinte.*

   14. **qui du cerveau, qui des entrailles:** the more usual
form is *l'un du cerveau, l'autre des entrailles.*

ACT III

SCENE I

36. 17. **malgré mes dents:** ' in spite of myself.'

   19. **sixième:** the first form in secondary schools. They
are numbered inversely as compared with English

schools. Thus *première* corresponds to ' VIth Form.'

36. **25.** **chacun est endiablé:** *chacun s'obstine.*

37. **8.** **les pots cassés:** the phrase *payer les pots cassés* had then already acquired the meaning of *payer les frais du dommage qu'on a causé.*

11. **le bon de cette profession:** ' the good thing about this profession.'

SCENE II

29. **quelque petite drôlerie:** ' some queer thing.' Molière also used this word in a similar meaning in *Le Bourgeois gentilhomme* (Act I, Scene II) : " Hé bien ! Messieurs ? Qu'est-ce ? Me ferez-vous voir votre petite drôlerie ? "

38. **2.** **hypocrisie:** Thibaut means *hydropisie.*

5. **sériosités:** *sérosités.*

7. **au glieu:** *au lieu.*

8. **de deux jours l'un:** ' every other day.'

9. **quotiguenne:** quotidienne.

10. **mufles:** *muscles.*

11. **fleumes:** *flegmes.*

12. **syncoles:** *syncopes.*

13. **conversions:** *convulsions.*
que je crayons: *que je crois.*
qu'alle est passée: *qu'elle est morte.* Cf. English, ' that she has passed away.'

14. **révérence parler:** this is an example of the polite language of country people. Whenever they mention something they consider unworthy of your ears, they will say *révérence parler* or *ne vous en déplaise.* Cf. English ' begging your pardon, sir.'

15. **d'histoires:** ' things.'

16. **écus:** the *écu* was a silver coin worth three *livres.*

17. **apostumes:** ' abscess,' but Thibaut really means *aposumes,* ' draughts.'

18. **infections:** *infusions.*

19. **portions cordales:** *potions cordiales.*
comme dit l'autre: *comme l'on dit.*

20. **onguent miton mitaine:** *remède qui ne fait ni bien ni mal.*

38. 20. **velait:** *voulait.*
22. **vin amétile:** *vin émétique.* This was quite new
at the time, and, according to Molière, its most
remarkable property was to kill the patients.
j'ai-s-eu peur: an example of the incorrect *liaisons*
made by uneducated people.
23. **à patres:** *ad patres,* a Latin word Thibaut remembers
from his attendance at mass.
33. **queuque:** *quelque.*

SCÈNE III

39. 26. **la casse:** ' cassia.'
40. 10. **là où la chèvre est liée, il faut bien qu'elle y broute:**
a proverb.
19. **que j'en sais:** *que j'en connais.*
21. **petons:** a diminutive of *pieds.*
29. **que vous lui missiez quelque chose sur la tête:** ' that
you should make him a cuckold.'

SCENE IV

41. 9. **diantres:** *diables.*

SCÈNE V

42. 3. **agonie:** ' death agony.'

SCENE VI

43. 2. **sensitive:** *la faculté sensitive.*
25. **ne serviront de rien:** in modern French, *ne serviront
à rien.*
27. **une chose où:** in modern French, *une chose à
laquelle.*
44. 6. **point d'affaire:** ' no good making a fuss.'

44. 6. **vous perdez le temps:** in modern French, *vous perdez votre temps.*

13. **de vous rendre sourd:** this recalls the episode in Rabelais' *Pantagruel*, Chapter XXXIV, Book III : " La parole recouverte, elle parla tant et tant, que son mari retourna au médecin pour remède de la faire taire. Le médecin répondit en son art bien avoir remèdes propres pour faire parler les femmes, n'en avoir pour les faire taire ; remède unique être surdité du mari."

SCENE VII

46. 7. **drôle:** ' scamp, rascal.'
12. **rubriques:** ' dodges.'
  plus fin que vous n'est pas bête: ' anyone sharper than you is no fool.'

SCENE VIII

19. **de la façon:** *de cette façon là.*
20. **commissaire:** ' police official.'
23. **ne bougez de là seulement:** ' mind you don't move from there, though.'

SCENE IX

47. 14. **demeurer:** *rester.*

SCENE XI

48. 12. **la médecine l'a échappé belle:** ' medicine has had a narrow escape.'
23. **conséquence:** ' standing.'

VOCABULARY

abaisser to lower

abandonner to abandon, give up

abord: d'—, at first; at once

absolument absolutely, entirely

abuser (s') to be mistaken, be fooled

accès *m.* access

accommoder (s') to make oneself comfortable

accord *m.* agreement; **d'—,** agreed, in agreement

achever to finish

âcreté *f.* acidity

adresser to address, direct; **on nous a adressés à vous** we have been recommended to come to you; **s'—,** address someone, turn to

affaire *f.* affair, matter, business; **avoir — à** to have to deal with

affecter to pretend, feign

affolé, –e (de) madly in love with

afin de in order to

afin que so that, in order that

âge *m.* age; **dans son jeune —,** in his young days

agir to act

agonie *f.* death agony

agriable (*dialectic*) = **agréable** pleasing

aide *f.* help

aider to help

aigri, –e acrid, aggravated

ailleurs elsewhere

aimer to love, like; **— mieux** prefer; **s'—,** love each other

ainsi thus, so

aisé, –e easy

aisément easily

alle (*dialectic*) = **elle** she

aller to go; **va** go; come now; never mind

amant *m.* lover

âme *f.* soul, heart, disposition; **du meilleur de mon —,** from the bottom of my heart

amener to bring, lead

amétite = **émétique** *m.* emetic

amiquié = **amitié** *f.* friendship; **où alle avait bonté son —,** that she'd set her heart on

amitié *f.* friendship, love, affection

amour *m.* love; **pour l'— de** for the sake of

amoureu–x, –se de in love with

amuser (s') to enjoy oneself

an *m.* year; **de douze ans** twelve years old

apaiser to appease, silence

apercevoir to perceive, see; **s'—,** notice

apothicaire *m.* apothecary

appartenir to belong, concern

appeler to call; **s'—,** be called; **comment s'appelle-t-il?** what is his name?

apprendre to learn; teach, tell

arbre *m.* tree

ardeur *f.* ardor, love

argent *m.* money

Aristote Aristotle
arrêter (s') to stop
arriver to arrive; happen
assassiner to murder
assez very, quite, enough
assommer to knock someone senseless
assurément certainly, assuredly
assurer to assure
attaquer to attack
attendre to wait for
attenti-f, –ve attentive
attraper to catch
aucun, –e any, no
aujourd'hui today
auprès de near, close to
aussi also
aussitôt immediately
autant as much; **d'— que** more especially as
auteur *m.* author; authority
autre other
autrefois formerly
autrement otherwise, differently
autrui others
avaler to swallow
avertir to warn
avertissement *m.* warning, notice
avis *m.* warning, notice; advice; **être d'—,** to intend
aviser (s') to get it into one's head
avoir to have; **— raison** be right; **qu'y a-t-il?** what's the matter? **— beau** do something in vain
avouer to acknowledge, confess

B

bagatelle *f.* trifle
bailler = donner to give; deal
baiser to kiss
baisser (se) to stoop, bend down
barbe *f.* beard

bas low, softly; **en —,** to the bottom; **bas, -se** *adj.* low
baste enough of that
bâton *m.* stick, rod
battre to beat, thrash
beau, belle beautiful, fine
beaucoup much, a great deal
bec cornu *m.* scoundrel
bélître *m.* cad, good-for-nothing
benêt *m.* fool
besogne *f.* work, job; **méchante —,** spoiled job, blunder
besoin *m.* need; **avoir — de** to need
bête *m.* animal; fool
bévue *f.* blunder, mistake
bian = bien well
biau = beau handsome
bien very, quite; well; **c'est — à toi** it's just like you; **bien** *n. m.* wealth
bientôt soon
bizarre peculiar
boire to drink
bois *m.* wood, forest
boisson *f.* beverage, drink
bon, –ne good; **à quoi —?** what's the use? **tout de —,** really and truly, quite sure
bonheur *m.* happiness, good luck
bonjour good day; **donner le —,** to greet, wish a good day
bouche *f.* mouth
bouchon *see Note, page 52*
bouffon, –ne droll, funny
bouffonner to joke, be funny
bouger to budge, move
bourse *f.* purse
bout end; **venir à —,** to succeed
bouteille *f.* bottle
bouter (*obsolete*) to put, set; **— le nez** poke one's nose; **s'y —,** set about it

boutique *f.* shop
branler to shake
bras *m.* arm; **sur les —,** on one's hands
briser (se) to break
brouter to graze
bruit *m.* noise
brûler to burn; long; **je brûle en moi-même de** I am itching to

C

ça: o ça! come now!
cacher to hide
capacité *f.* skill
caprice *m.* caprice, whim
capricieu-x, -se capricious, whimsical
car for, because
carogne *f.* (*obsolete*) wench, scoundrel
cas *m.* case
casse *f.* cassia
casser to break
ceci this
cela that
cependant however
cercle *m.* circle
cérémonie *f.* ceremony
certain, -e certain
cerveau *m.* brain
chacun, -e each one
chaleur *f.* heat
chambre *f.* room
changement *m.* change
chanson *f.* song (*see Note, page 54*)
chanter to sing
chapeau *m.* hat
chapitre *m.* chapter
charcher = chercher
charger (se) to take charge
charmant, -e charming, delightful
chemin *m.* way, road

.cher, chère dear
chercher to search, look for
chèvre *f.* goat
chez at the house of; **— moi** at my house
choir to fall; **se laisser —,** fall (*accidentally*)
choquer to shock, surprise
chose *f.* thing, matter; **autre —,** another thing, anything else
Cicéron Cicero
ciel *m.* heaven
civilité courtesy; **faire des —s,** to show courteous attention
clair, -e clear, plain
clocher *m.* steeple, bell tower
cœur *m.* heart; **par —,** by heart; **de tout mon —,** wholeheartedly
coing *m.* quince (*see Note, page 54*)
colère *f.* anger; **être en —,** to be angry; **mettre en —,** make angry
commander to command, order; **vous n'avez rien à me —,** you can't order me about
comme like, as
comment how, what; **—?** I beg your pardon?
compère *m.* comrade
comprendre to understand
compter to count; **— sur** rely on
concavité *f.* concavity
concevable conceivable
concevoir to conceive, imagine
conclure to conclude
conduire to lead, take
confesser to confess, own up
confier (se) (à) to confide in
conjurer to beseech
connaître to know, recognize
conscience *f.* conscience; **en —,** on my word
consentir to consent, agree

consulter to consult

contentement *m.* contentment, satisfaction

contraire contrary

contre against

contredit: sans —, assuredly, unquestionably

contrefaire to imitate, mimic

conversion = convulsion *f.* convulsion

corail *m.* coral

cordial *m.* (*pl.* **cordiaux**) stimulation

cordonnier *m.* shoemaker

corps *m.* body

côté *m.* side; **du — de** towards

cou *m.* neck; **se jeter au —,** to hug

coude *m.* elbow

coup *m.* blow; **boire un —,** to have a nip; **encore un —,** once more; **—s de bâton** blows with a stick, beating; **du premier —,** right off

couper to cut, chop

cour *f.* courtyard

courir to run

coûter to cost

coutume *f.* custom, habit

couvent *m.* convent

couvrir (se) to clothe oneself; put on one's hat

cracher to spit, expectorate (*see Note, page 52*)

craindre to fear; **à —,** dangerous thing

crainte *f.* fear; **de — que** for fear that, lest

creiature = créature *f.* creature

crever to burst; die

croire to believe; think

cueillir to gather

cuir *m.* leather

D

daigne = digne worthy

darder to hurl

davantage more, further

débauche *f.* debauchery, dissolute living

débauché *m.* debauchee, profligate

déchausser to take off one's shoes

découvrir to discover, find out

dedans inside, within

défendre to deny; **se —,** defend oneself

défigurer to deface (*see Note, page 52*)

dégoiser to chatter, prate (*see Note, page 55*)

dégoûtant, –e disgusting, repulsive

déguiser to disguise; **se —,** disguise oneself

déjà already

délicat, –e delicate

délivrer (se) to free oneself

demander to ask, ask for; **— pardon** beg pardon

démanger to itch; **votre peau vous démange** your skin is itching (for a thrashing)

déménager to move

demeurer to remain

démon *m.* devil

dent *f.* tooth (*see Note, page 54*)

dépendre to depend on

dépens *m. pl.* expense

déplaire to displease; **ne v's (= vous) en déplaise** with your permission

depuis since; **tout — ce temps-là** ever since

derechef a second time, once more

dérober to steal away

derri–er, –ère behind; behind one's back

dès from, as early as; — **ce soir** this very evening

désespéré, -e desperate, hopeless

désormais henceforth

dessein *m.* plan, scheme; **à —,** with the purpose; **être dans le —,** to have the intention

dessous under

dessus above, on (it, them)

déterminé, -e determined

deux: tous —, both, both of you

devenir to become

deviner to guess

devoir *m.* duty; task

devoir to owe; ought

diable *m.* devil; **que —!** what the deuce!

diantre! (*softened form of* **diable**) good heavens!

diaphragme *m.* diaphragm

Dieu *m.* God; **mon —!** good heavens!

différer to postpone

difficulté *f.* difficulty; **faire quelque — à** to object a little to

digérer to digest; put up with

dignité *f.* dignity

dire to say, tell; **c'est à —,** that is to say; **pour ainsi —,** so to speak

discours *m.* conversation; idle talk; speech

disposer (se) to get ready

dissimuler to dissemble; pretend

divers different

docteur *m.* doctor

doigt *m.* finger

domestique *m.* servant

donc then, so, therefore

donner to give; **il lui en donne** he thrashes her

dos *m.* back (*see* **retomber**)

double = double denier *an old copper coin worth one-sixth of a sou*

doucement gently, softly; take it easy

douleur *f.* pain

doute *m.* doubt; **sans —,** undoubtedly

douter to doubt, question

doux, douce sweet; **tout —!** don't! stop!

douzaine *f.* dozen

drachme *f.* dram

drait = droit: tout fin —, right straight on

drogue *f.* drug

droit, -e right

drôle *m.* rascal

drôlerie *f.* queer thing

E

ébranler to shake

échantillon *m.* sample

échapper (s') to escape; **son esprit s'échappe** his mind wanders

échauffer to overheat

échelle *f.* ladder (*see Note, page 53*)

écorce *f.* bark

écouter to listen

effectivement really

effet *m.* effect, outcome

effort *m.* effort; **faire tous ses —s,** to do one's utmost

également equally, alike

élever to elevate; **s'—,** arise, rise

embarrasser to embarrass

embrasser to hug, embrace; kiss

empêchement *m.* impediment

empêcher to prevent

empire *m.* sway, control

empirer to grow worse

emplâtre *m.* plaster

emploi *m.* use

employer to use, employ

emporter to carry off, take away; **s'—**, get angry, lose one's temper

en in, while; of it, about it

encore yet, also; **mais —**, but be more definite

encourager to encourage

endiablé obstinate, bent upon

endroit *m.* place, whereabouts

endurant patient

endurer to endure, bear

enfant *m.* child

enfin finally, at last

enfler to swell

enfuir (s') to elope

engendrer to engender, breed

enlever to carry off; **il a fait —**, he has helped someone to run away with

ennuyer (s') to be bored

enrager to enrage, madden

ensemble together, with each other

ensevelir to bury

ensuite after, afterwards, then

entendre to hear; understand

enterrer to bury

entrailles *f. pl.* entrails, bowels

entre between, among

entreprise *f.* undertaking; intention

entrer to enter

entretenir to talk with; entertain

envie *f.* desire; **avoir — de** to want, desire; **mourir d'—**, be dying to, be anxious to

envoyer to send; **— promener quelqu'un** send someone about his business

épargner to spare; economize

épaule *f.* shoulder

épouser to marry

épouvanter (s') to be frightened

époux *m.* husband

épuiser to exhaust; use up

erreur *f.* error

esclave *m. and f.* slave

espérance *f.* hope

esprit *m.* mind; **son — s'échappe** his mind wanders; **jeunes —s** young minds

essayer to try, test

essuyer to wipe, mop

estomac *m.* stomach

état *m.* state; condition

éternellement eternally, forever

étoffe *f.* cloth, material

étonnement *m.* astonishment

étouffer to stifle; choke

étourdir to deafen; **à —**, deafening

étrange strange

être to be; **c'est à moi de parler** it's my turn to speak

étriller to thrash

étude *f.* study

étudier to study; **que (pourquoi) n'ai-je étudié?** why didn't I study?

eune = une a, an

évanouissement *m.* fainting spell

excuse *f.* excuse; **demander —**, to ask one's pardon

exécuter to execute, carry out (plan)

exemple *m.* example

exercer to exercise, perform

exhalaison *f.* exhalation

expliquer (s') to explain oneself

expulser to expel

extraordinaire extraordinary

extravagant, -e extravagant, extraordinary

extravaguer to rave; talk nonsense
extrémité *f.* extremity, extreme

F

fâché, –e sorry
fâcheu–x, –se annoying, unpleasant
facile easy
façon *f.* manner, way; **en aucune —,** not all at; **de la —!** in this manner!
fagot *m.* faggot
faire to do, make, cause; **avoir que —,** have need; **— venir** send for, have come; **voilà qui est fait** that's settled; **— du bien** do good
faiseur *m.* maker
fait, –e formed
falloir to be necessary, must; **comme il faut** properly
fameu–x, –se famous
famille *f.* family
fantaisie *f.* notion, whim; **vivre à ma —,** to live as I like; **mettre en —,** take it into one's head
fantasque odd
fatigue *f.* hardship
faute *f.* fault
faveur *f.* favor; **en — de** in favor of
feint, –e feigned
feinte *f.* sham, pretense
féliciter to congratulate, compliment
femme *f.* woman; wife
fendre to break
fermer to close
fi! for shame! pshaw!
fieffé arrant; egregious
fièvre *f.* fever
figué (*dialectic*) upon my word (*see Note, page 52*)

fille *f.* daughter
fils *m.* son
fin *f.* end; **à la —,** in the end
fin, –e subtle; sharp
fleume = flegm *m.* phlegm
foi *f.* faith; **ma —,** on my word, my word
foie *m.* liver
folie *f.* madness, folly
fond *m.* bottom; **dans le —,** fundamentally
force: à — de by dint of; **de —,** by force; **à toute —,** in spite of all opposition, at all costs
former to form
fort very
fou *m.*, **folle** *f.* fool
fouet *m.* birch (rod); **donner le — à un enfant** to whip a child
fourrer (se) to butt into
fraime *f.* **= frime** pretense, sham
fraise *f.* ruff (*a wheel-shaped collar worn in the late 16th and 17th centuries*)
franc, franche frank; real
franchement frankly; really
franquette *f.*: **à la —,** simply, without ceremony
frapper to hit, strike
fredaine *f.* prank
fripon, –ne knave, rascal
fromage *m.* cheese
front *m.* forehead, brow
frotter to rub; **— les oreilles** box someone's ears
fuir to flee, avoid
fuite *f.* flight; **mettre en —,** to put to flight

G

gager to wager, bet
gagner to earn, make; **ne — rien sur** have no effect on

garçon *m.* boy, young fellow

garde *f.* care, custody; **prendre — à** to mind, notice

garder to keep; harbor; **se —,** protect oneself, beware, take care

gari (*dialectic*) = **guéri** cured

garir = **guérir**

gâter to spoil

gauche left

gendre *m.* son-in-law

gens *m. pl.* people

geste *m.* gesture

glouglou *m.* glug-glug, gurgle

goguenard, -e jeering, mocking

goguenarderie *f.* mockery

gorge *f.* throat

goutte *f.* drop; bit

gouverner to direct; actuate

grâce *f.* grace, kindness; **de —,** pray tell, for pity's sake, please

grain *m.* grain, particle

grand, -e great, large; robust; fine; tall

gros, -se big, stout; rich

grossi-er, -ère gross, rude

gueble = **diable** *m.* devil

guère: ne ... —, scarcely, hardly

guérir to cure

gueux *m.* beggar; tramp

H

habile clever, capable

habit *m.* suit, costume, clothes

hache *f.* axe, hatchet (*see Note, page 53*)

haleine *f.* breath

hardiesse *f.* boldness, impudence

hasarder (se) to venture

haut top; aloud; **du — de** from the top of

hé! I say!

hébreu *m.* Hebrew

hériguié = **héritier** *m.* heir

héritier *m.*, **héritière** *f.* heir, heiress

heure *f.* hour; **à toute —,** at all hours, at any time; **tout à l'—,** just now; presently

heureu-x, -se happy

heurter to run into

Hippocrate Hippocrates

holà! stop! enough!

homme *m.* man; **— à cela** the right man for that

honnête honest

honnêteté *f.* honesty; civility

honneur *m.* honor

hôpital *m.* hospital

hors de out of, outside

humeur *f.* humor; **—s** *humors in old physiology were four fluids (blood, phlegm, yellow bile, and black bile) which determined a person's health and temperament*

hydropisie *f.* dropsy

hypocrisie *f.* hypocrisy

I

iau = **eau** *f.* water

ici here

impartinante (*dialectic*) = **impertinente** impertinent, impudent

impertinent *m.* impertinent fellow

impétuosité *f.* impetuosity, torrent

implorer to implore, beseech

importer to be important, matter

importuner to importune, pester, annoy

incommoder to inconvenience; hurt

incongruité *f.* incongruity
inégalité *f.* inequality
infâme *m. and f.* infamous wretch
infamie *f.* infamy, disgraceful thing
infection = infusion *f.* infusion
infirmité *f.* infirmity, weakness
ingérer (s') to meddle with
injure *f.* injury, insult
insolence *f.* insolence, impertinence
instruire to teach, inform
intéresser (s') to be interested
intérêt *m.* interest, self-interest; **avoir — à** to be interested in
inutilement uselessly, in vain
invention *f.* invention, way
ivrogne *m.* drunkard

J

jacinthe *f.* hyacinth, jacinth
jalou-x, -se jealous
jamais ever; **ne ... —,** never
jambe *f.* leg
jardin *m.* garden
jaune yellow
jeter (se) to throw oneself; **— au cou de quelqu'un** hug someone
jeu *m.* game; **— de théâtre** pantomime
jeune young
joie *f.* joy
joli, -e pretty
jouer to play; gamble; **— à la fossette** play at cherry pits (marbles)
jour *m.* day; **tous les —s** every day
julep *m.* julep, medicine
jurer to swear
jusque up to, as far as
justement precisely, exactly

L

lâche *m.* coward
là-dessus on that
laisser to leave, let; **laisse-moi là** leave me alone; **laissez-nous faire** leave it to us
lait *m.* milk
langage *m.* language, speech
langue *f.* tongue; **avoir la — bien pendue** to have a glib tongue
lantiponner = lanterner to dilly-dally
large broad
lassitule = lassitude *f.* tiredness, weariness
latin *m.* Latin
lavement *m.* enema
ledit, ladite (*pl.* **lesdits, lesdites**) the aforesaid
lettre *f.* letter
lever to raise; **se —,** rise
libarté (*dialectic*) **= liberté**
libéral, -e generous
liberté *f.* liberty
licence *f.* degree
lier to bind, tie
lieu *m.* place; **avoir — de** to have good grounds, have good reason to; **donner —,** give the chance; **au — de** instead of
lire to read
lit *m.* bed
livre *m.* book
logis *m.* house, dwelling
loin far
long, -ue long
longtemps a long time
lorsque when
louer (se) to congratulate oneself
Lucinde Lucinda
lune *f.* moon

M

main *f.* hand; **à la —**, in his hand
maintenant now
mais but
maison *f.* house
maître *m.* master
maîtresse *f.* mistress
mal *m.* (*pl.* **maux**) evil; malady; pain, ache; *adv.* bad; **il n'y a pas de —**, there is no harm done
malade sick; sick person
maladie *f.* illness, disease
malaviser to ill-advise
malgré in spite of; **— moi** against my will
malignité *f.* malignity
maltraiter to ill-treat
manger to eat, take
manquer (de) to fail
maraud *m.* villain
marcher to walk
mari *m.* husband
mariage *m.* marriage
marier (se) to marry
marquer to mark; indicate
marri sad, sorry
matière *f.* matter, subject
matin *m.* morning; **du — jusqu'au soir** from morning till night
matrimonium (*Latin*) matrimony
maudit, -e cursed, confounded; **que — soit** cursed be
mauvais, -e bad
méchant, -e miserable, wretched
médeçaine = **médecine** *f.* medicine
médecin *m.* doctor, physician
médicamenter to doctor
meilleur, -e better; **le —**, best
mélancholie = **mélancolie** *f.* melancholy
mêler to mix; **se —**, interfere; mingle; pretend; **mêlez-vous de vos affaires** mind your own business
même same; **de —**, the same
menace *f.* threat
ménage *m.* housekeeping; **vivre de —**, to live economically
ménagère *f.* housekeeper; housewife
mener to lead; take
mentir to lie
menton *m.* chin
mercenaire mercenary
mère *f.* mother
mériter to deserve
merveille *f.* wonder
merveilleu-x, -se marvelous, wonderful
messieurs sirs, gentlemen
méthode *f.* method
métier *m.* trade, profession
mettre to put, place; **— le nez** poke one's nose; **se — en peine** worry
meuble *m.* furniture, piece of furniture
mie *f.* (= **amie**): **ma —**, my pet, darling
mieux better; **aimer —**, to prefer; **tant —**, so much the better
mine *f.* look; **avoir la — de** to look as if
miton: onguent — mitaine innocuous and worthless salve
mode *f.* fashion, way
moins less; **au —**, at least; **à —**, for less
mois *m.* month
moitié *f.* half; **ma chère —**, my better half
moment *m.* moment; **un petit —**, just a moment
monde *m.* world; **tout le —**,

everyone; **combien de** —, how many people

montrer to show

moquer de (se) not to care; make fun of, joke; not to mention

morbleu! by jingo! hang it!

morceau *m.* piece

morgué! hang it!

morguenne! hang it! by jingo!

mort *f.* death

mort, –e dead

mortifier to mortify

mot *m.* word

mourir to die

moyen *m.* means, way

muet, –te mute, dumb

mufle = muscle *m.* muscle

N

naturel, –le natural

ne not; **ne . . . rien** nothing; **ne . . . point** not, not at all; **ne . . . que** only, nothing but

nécessaire necessary

nécessité *f.* necessity, need

négoce *m.* trade, business

nier to deny

noce *f.* wedding; *pl.* marriage

noir, –e black

nom *m.* name

nommer to call; **se** —, be called

non no

notaire *m.* notary

nourrice *f.* nurse

nourricerie *f.* nursery

nourricier *m.* foster-father

nouv–eau, –elle new

nouvelle *f.* news; **dites-moi des** —**s de** tell me what has become of

nuit *f.* night

nullement not at all

O

obéir to obey

obéissant, –e obedient

obliger to oblige, compel

œil *m.* (*pl.* **yeux**) eye

omoplate *f.* shoulder blade

oncle *m.* uncle

onguent *m.* ointment

opérer to operate, work

opposer to oppose

oppresser to oppress

or *m.* gold

ordinaire ordinary, usual; **à votre** —, as usual

ordonnance *f.* order

ordonner to order; **la justice en ordonnera** the law will take its course

oreille *f.* ear

oser to dare

ôter to remove, take away; **s'**—, get out of the way

où when; where; **d'**—, on which

ouais! what! my word!

oublier to forget

oui yes

ouïr to hear; — **dire** hear tell

ouvrir to open

P

pain *m.* bread

paix *f.* peace; **faire la** —, to make up

palsanguenne! 'sblood! (*see Note, page 53*)

paraître to appear, seem; **faire** — **Léandre à vos yeux** bring Léandre before you

parbleu! to be sure!

par-dessous under

pardonner to forgive

pareil, –le equal, like
pareillement likewise
parer to adorn, embellish
parfois sometimes
parguenne why of course, to be sure
parler to speak
parmi among
parmission = permission f. permission; **avec votre —,** with your leave
parole f. word
paroquet (*dialectic*) **= perroquet** m. parrot
part f. share, part; **à —,** aside; **autre —,** elsewhere
particuli–er, –ère particular, special
partie f. part
partout everywhere, all over
passer to pass; **contentement passe richesse** contentment is better than riches
paternel, –le paternal
pauvre poor
payer to pay
paysan m. peasant
peau f. skin
peine f. trouble; **ne vous mettez pas en —,** don't worry
pendant during
pendard m. rascal; jailbird
pendre to hang
pénitence f. penance
pensée f. thought
penser to think; expect
perdre to lose; **— la parole** lose one's speech; **j'y perdrai toute ma médecine** I'll stake all my medicine on it; **— la temps** waste time
père m. father
perle f. pearl

perroquet m. parrot
perruque f. wig
personne f. person
peste f. plague; **— de la carogne !** you wench! you hussy! **—!** bless my soul!
petit, –e little, small
peton f. tiny foot, tootsy-wootsy
peu little; **voyez un —,** just look at
peur f. fear; **avoir —,** to be afraid
pièce f. piece; **— à —,** bit by bit
pied m. foot
pilule f. pill
pire worse
pis worse; **tant —,** so much the worse
place f. place; **faire — à** to yield to
plaindre to pity; **se —,** complain
plaire to be pleasing, like; **s'il vous plaît** please
plaire (se) to take pleasure
plaisant, –e funny, ridiculous
plaisir m. pleasure, kindness, favor
plein, –e full
plus more
plusieurs several
plutôt rather, sooner
poids m. weight
poignet m. wrist
point no, not at all; **— du tout** not at all; **ne . . . —,** not
pointu, –e pointed
poitrine f. chest
porter to wear; bring; **se —,** feel
poser to place, set
posture f. posture, attitude
pot m. pot, jug; **les —s cassés** *lit.* = the broken pots; *fig.* = the damage
potable drinkable
pouls m. pulse
poumon m. lung

pour so that
pourvu que provided that, if only
pouvoir to be able, can
pouvoir *m.* power, authority
précieu-x, –se precious
premi-er, –ère first, foremost
prendre to take
préparer to prepare; **se —,** prepare oneself
près near; **de —,** closely
présenter to present, give
presser to press; squeeze
prêt, –e ready
prétendre to claim, require; intend
prétention *f.* pretension, claim
prier to beg
prière *f.* prayer
prise *f.* taking, dose
prix *m.* price
procédé *m.* procedure
procéder to proceed, come
procurer to procure, get
profiter to profit, thrive
promener (se) to walk
promettre to promise
promptement promptly
prudemment prudently, wisely
puis then, besides
puisque since
puissance *f.* power, authority
punir to punish
punition *f.* punishment
purgati–f, –ve purgative
purger to purge, clear

Q

quand when
quantité *f.* quantity, plenty
quarquié = quartier *m.* quarter (*see Note, page 54*)
quelque some, any, few

quelque chose something
quelquefois sometimes
quereller (se) to quarrel with
querir to fetch; look for
question *f.* question; **de quoi est-il —?** what is the trouble? **être — de** to be a matter of
queuque = quelque some
queussi queumi entirely the same (*see Note, page 54*)
quinteu-x, –se capricious
quitter to leave
quoi? what?
quoique although
quotiguenne = quotidienne daily

R

rabattre to lower; **je n'en puis rien —,** I can't lower the price one bit
raillerie *f.* raillery, jesting
raison *f.* reason; **avoir —,** to be right
raisonnable reasonable
raisonnement *m.* reasoning, argument
raisonner to reason, argue
raisonneu–r, –se reasoner, arguer
ranger to bring back, remind
rate *f.* spleen
ravaler to lower
ravi, –e delighted
rayon *m.* ray
recevoir to receive, accept
rechercher to seek after
recommencer to begin again
récompense *f.* recompense, reward
recouvrer to recover, regain
reculer to step back; delay, put off
redevenir to become again
réduire to reduce, force

regaillardir to revive, enliven

regarder to look at; — **de travers** look askance, scowl

région *f.* region, territory, area

regret *m.* regret, sorrow

réjouir (se) to be delighted, rejoice

relevé, -e remarkable, lofty

relever (se) to raise to one's feet

remède *m.* remedy

remercier to thank

remettre to put back, restore

remplir to fill (up) *or* refill

rencontre *f.* meeting; **faire la —,** to meet, fall in with

rencontrer to meet

rendre to give back, render, return; — **grâce** thank; **se —,** give in

renfermer to lock, hide, shut up

rente *f.* income; riches

répandre (se) to spread

repentir to repent, be sorry

répondre to answer

reprendre to take again

réputation *f.* reputation, name

résoudre to persuade, resolve; **se —,** resolve, make up one's mind

ressentiment *m.* resentment, grudge

ressouvenir de (se) to remember

retardement *m.* delay

réti–f, -ve stubborn, rebellious

retirer (se) to withdraw, go away

retomber to fall again, fall back; **...ne retombe jamais sur notre dos** doesn't become our responsibility

retourner (se) to turn around

rétracter (se) to retract, recant

réussir to succeed

revenir to come back; regain consciousness

rêver to dream; muse, ponder

rhibarbe (*dialectic*) = **rhubarbe** *f.* rhubarb

rian = **rien** nothing

riche rich, wealthy

richesse *f.* wealth

rien nothing; **de —,** nothing at all

rire to laugh

risque *m.* risk

robe *f.* robe, gown

rosser to thrash

rudiment *m.* primer

ruine *f.* ruin

rustre *m.* boor

S

sac *m.* sack; — **à vin** sot

sage wise

sagement wisely

saignée *f.* bleeding, bloodletting

sain, -e sound, healthy

salé, -e salty

saluer to bow to, greet

salutaire salutary, beneficial

sang *m.* blood

sans without

santé *f.* health, well-being

saoul glutted, surfeited, gorged

sarvante = **servante** *f.* servant

satisfait, -e satisfied, pleased

savant learned; *n. m.* learned man, scholar

savoir to know

science *f.* knowledge

selon according to

semaine *f.* week

semblant *m.* semblance; **faire —,** to pretend

sembler to seem

séné *m.* senna

sentiment *m.* sentiment, feelings, mind

sentir to feel; **se faire —**, be felt
servir to serve, help; **se — de** make use of; **ne — de rien** be of no avail
serviteur *m.* servant
seul, -e single, single one, alone
siège *m.* seat, chair
signe *m.* sign
signer to sign
simple simple, ordinary
simples *m. pl.* medicinal herbs
sincèrement sincerely
soif *f.* thirst
soin *m.* care, trouble; **employer tous vos —s** to use all your skill
soir *m.* evening; **sur le —**, towards evening
soleil *m.* sun
sols = sous (*see Note, page 52*)
songer to remember, bear in mind
sort *m.* fate, lot
sorte *f.* sort, manner; **de — que** in such a manner that; **de la —**, that way; **de même —**, just the same
sortir to go out, get away
sot *m.* fool
soufflet *m.* slap
souffrir to suffer; tolerate
souhaiter to wish
souillez = souliers shoes
soulagement *m.* relief
soulager to relieve
soulier *m.* shoe
soumettre to submit
soupçon *m.* suspicion
sourd, -e deaf
sous under
souvenir (se) to remember
souvent often
spécifique specific
stratagème *m.* stratagem
subtil, -e subtle

suffire to suffice
suivant, -e following
superflu *m.* superfluity
supplier to beseech, implore
sur on
surfaire to overcharge
surtout above all
sympathique sympathetic
syncole = syncope *f.* syncope, fainting spell

T

tâcher to try
tailler to cut
taire (se) to be silent
talent *m.* talent, gift
tandis que while
tant so much
tantôt soon, presently
tâter to touch
tel, -le such; **— que** such as, like
témoigner to show, prove
tempérament *m.* constitution, temperament
temps *m.* time; **de — en —**, from time to time
tendre to hold out
tendresse *f.* tenderness, interest
tenir to keep, hold; think; **— mort** consider dead; **— à** be bent on, be anxious to; **s'en —**, stick to; **se — heureux** consider himself happy
terre *f.* ground, earth; **à —**, on the ground; down
testique! by jinks! (*oath used in drama of the 17th century*)
tête *f.* head
teter to suck; **donner à — à ton enfant** nurse your child
têtu, -e stubborn
théâtre *m.* theater, stage

tintamarre *m.* noise, racket; **voici bian (bien) du —,** this is a fine how-de-do

tirer to pull, drag, draw

tomber to fall

ton *m.* tone

tort *m.* wrong; **avoir —,** to be wrong

tôt soon

toucher to touch; shake; **qui le touchait au cœur** that she was so fond of; **touche-là** put it there; **— au but** hit the mark

toujours always

tour *m.* turn, walk; **faire un petit —,** to take a stroll

tourner (se) to turn

tout all, everything; **— ce qui** all that which; **— ce que** whatever; very, quite; **— à fait** quite, entirely

tout le monde everyone

traître *m.* traitor, scoundrel

transporter (se) to go

travailler to work

travers breadth; **regarder de —,** to look askance, scowl

tremper to dip; soak

trépas *m.* death

trêve *f.* truce; **— de cérémonie** no more of your blarney

tripotage *m.* fiddling about

tromper (se) to be mistaken, be wrong

trompeur *m.* cheat

trop (de) too, too much

trouver to find; **se —,** happen

tudieu! zounds!

tuer to kill

U

unir to unite

universel, –le universal

urgent, –e urgent

usage *m.* use

user to use; **en —,** deal with

V

va *see* **aller**

vache *f.* cow

vaigne = **vigne** *f.* vineyard

valoir to be worth

vapeur *f.* vapor

vartigué confound it

veine *f.* vein; **— cave** hollow vein

velà = **voilà** there; there is, there are

vendre to sell

vengeance *f.* revenge, vengeance

venger (se) to average oneself

venir to come; **à —,** in the future, in prospect; **— à** happen to; **— de** have just; **— au fait** come to the point

ventre *m.* abdomen, stomach

ventricule *m.* ventricle

véritable true, real

vers towards

vert, –e green

vertu *f.* virtue, merit

vêtir to dress, attire

vider (se) to empty, become empty

vie *f.* life

vilain *m.* villain

vin *m.* wine

violence *f.* violence, force

vite quickly

vivre to live, behave; **— à ma fantaisie** live as I like; **— de ménage** live economically

vœu *m.* vow, wish

voici here is, here are

voilà there is, there are

voir to see, look at; **voyez un peu** behold him; **faire —,** show

voisin *m.* neighbor
voix *f.* voice
voler to steal
voleur *m.* thief
volonté *f.* will, wish
volontiers willingly
votte = **votre**

vouloir to want; — **dire** mean;
à qui en veulent ces gens-là?
what ails those people?
vrai true, real; **dire** —, to tell
the truth
vraiment really
vue *f.* sight